KB100335

몸이 하는 말들

몸이 하는 말들

12년차
필라테스 강사의
業세이

윤 진

들어가며
필라테스 강사지만 통증을 달고 삽니다

센터에 저녁 수업을 진행할 새로운 강사가 왔다. 회원은 '젊고 예쁜' 강사가 왔다며 "필라테스하면 저 선생님처럼 예뻐질 수 있어요?" 라며 기대했다. 며칠 뒤 회원을 만났는데 이런 말을 했다.

"새로 온 선생님이랑 운동 하고나서 무릎이 너무 아파요."
"무릎 꿇는 동작을 많이 해서 못 가겠어요."

이야기를 끝까지 들은 후에 대답했다.

"젊어서 그래요. 딱 봐도 어리잖아. 애도 좀 낳아보고, 자기 무릎도 아파봐야 '아이고 무릎 아프다는 게 이런 거구나' 하고 알죠!"

웃자고 한 얘기였지만 폭풍공감으로 이어졌다. 사실 이 말은 새내기강사시절 나를 떠올리며 한 얘기다. 나도 소위 아가씨 때는 예쁜 동작, 다양한 동작을 많이 했다. 무릎이 아플 땐 매트를 접어서 운동하면 진짜 안 아픈 줄 알았다. 하지만 이제는 안다. 매트를 아무리 많이 접어도 무릎을 대면 아프다.

"선생님도 무릎이 아파요?"

"제가 둘째 임신했을 때 살이 24킬로그램 쪘는데, 그때 왼쪽 무릎에 연골연화증이 와서 고생했어요."

"선생님은 항상 건강하다고 생각했어요. 저만 아프다고 생각해서 속상했었는데... 이제는 괜찮으신거죠?"

"네. 운동하면서 많이 좋아졌어요. 요즘도 무릎에 안 좋은 건 안 하려고 늘 관리하고 노력하고 있고요."

"선생님 얘기 들으니까 위로가 많이 되네요. 감사합니다."

'내 얘기가 위로가 됐다고?'

나의 20대는 교통사고로 매일 밤 울던 시간이었고, 임신으로 얻은 연골연화증, 타고난 일자척추, 시대를 앞서나간 거북목과 손목골절을 겪은 몸이다.

지나고 보니 여기가 괜찮아지면 저기가 아파졌

다. 통증해방을 위해 약을 먹어가면서 운동했던 나의 경험이, 12년 간 필라테스 강사로 일하며 만난 사람들의 이야기가 위로와 희망이 되길 바라는 마음으로 글쓰기를 시작했다.

1부에서는 '내'가 아팠던 경험을 통증 연대기로, 내 몸을 통해 알게 된 것을 꺼내 보았다. 2부에서는 전문 교육과 현장에서 배우며 누군가의 몸을 돕는 '내'가 되는 과정을 쓰고, 3부에서는 만난 사람들, 남 얘기 같지 않은 우리의 '몸' 이야기를 적었다.

목차

2부 날 위한 몸 공부
누군가의 몸을 돕는 사람이 되기까지

3부 내가 만난 몸들
몸이 우리에게 하는 이야기들

몸이 하는 말들

1부 나만의 통증 연대기
내가 통증에 깊이 공감하는 이유

1. 교양 농구하다 손목 깁스한 이야기

대학생 때 농구동아리 멤버였다. 남자는 플레이하고 여자는 매니저 역할을 하는 것이었는데, 나와 친구들은 운동장 농구코트에 나와 소리 지르며 응원하는 걸 좋아했다.

자연스레 농구가 익숙했던 나는 '교양 농구' 수업을 들었다. 기말고사 시험으로 레이업 슛(공을 두 손으로 잡은 뒤 스텝을 두 번 밟고 골대로 손을 올려 공을 골대에 놓고 오면 되는 슛)과 3점 슛(3점 슛 라인 밖에서 공을 던져서 득점하는 슛)이 있었다. 시험을 앞두고 수요일마다 친구들과 슛 연습도 하고 서로 패스를 하며 공을 주고받았다. 멀리서 패스하는 공은 속도가 빨랐는데 운동 신경이 뛰어난 나는 놓치지 않고 받아냈다.

그런데 시험을 일주일 앞둔 목요일 아침, 오른 손목이 붓고 손을 사용할 수가 없어 병원을 찾았다. 엑스레이 사진을 보며 의사는 덤덤하게 말했다

"골절이네요. 수술할 정도는 아니고 4주 동안 깁스하세요."

엄지장갑(벙어리 장갑)처럼 엄지손가락만 떼어 놓은 채 손가락 첫마디부터 팔꿈치 아래까지 단단한 초록색 깁스를 했다. 오른손잡이인 내가 하던 모든 것을 왼손으로 하려니 새로웠다. 왼손으로 쓰는 글씨는 삐뚤빼뚤하고, 젓가락질을 못해서 포크를 사용했다. 왼손으로 하는 화장은 또 얼마나 웃기는지 눈썹이 오른쪽과 왼쪽이 들쭉날쭉했다.

왼손으로 사는 건 일주일 정도 재밌었다. 날이 갈수록 깁스 안에 땀이 차서 간지러웠다. 볼펜으로 깁스 안을 찔러도 봤지만, 애간장만 탈뿐이고, 한 번 긁은 곳은 더 세게 긁어주길 바랐다. 게다가 오른손을 비닐로 씌워 목욕하자니 몸도 개운하지 않고, 머리를 매일 감아도 찜찜한 기분이 들었다.

드디어 4주가 지났다. 의사는 엑스레이 찍은 사진을 보고 "뼈가 잘 붙었다"고 말했다. 나는 그동안 오른손으로 하지 못했던 글씨쓰기, 젓가락질, 목욕하니 새로 태어난 기분이 들었다. 그리고 아플 때 쉬었던 요가를 다시 시작했다.

요가에는 엎드린 상태에서 양손이 바닥을 짚어 상체를 세우는 자세, 앉아서 양 손바닥으로 내 몸을 들어 올리는 동작을 연습했다. 생각처럼 몸이 안 움직였다. 수련 공백을 메우기 위해 더 열심히 움직였다. 그런데 요가하고 나면 손목이 시큰하고 너덜너덜한 느낌이 들어 손을 사용하기가 어려웠다. 결국 병원에 갔다.

"며칠 약(소염제) 먹으면서 쉬면 좋아질 거예요."
"운동해도 돼요?"
"다 해도 됩니다."

요가원에 가서도 강사에게 물었다.

"병원에서 뼈가 잘 붙었다고 하는데, 요가하고 나면 아파요."
"깁스하고 있으면서 안 써서 그런 거니까 운동하면 좋아질 거예요."

이후 손목을 강화하기 위해 손바닥으로 바닥을 짚고, 체중을 실었다. 그러다 아프면 병원에 가서

소염제를 처방받아서 먹었다. 자꾸 아프니 요가
실력은 늘지 않고, 안 아픈 날보다 아픈 날이 많았
다. 요가는 거기서 그만두게 되었다.

반년 정도 운동을 하지 않고 일상생활만 하니,
손목이 안 아프고 손목에 힘이 생기는 기분이 들
었다. 반면 몸을 쓰던 사람이 운동을 안 하니 다른
몸이 찌뿌듯하고, 온몸에 지방이 덕지덕지 붙는
듯했다.

이번엔 집에서 혼자 운동을 시작했다. 손바닥으
로 바닥을 짚는 동작을 피하거나, 팔꿈치를 바닥
에 내고 동작했다. 몇 주 지나서는 손바닥 대신 손
끝을 대고, 체중을 뒤로 이동해서 손목에 힘이 실
리지 않게 운동했다. 차츰차츰 체중을 앞으로 이
동하며 손목의 건강을 회복했다.

어느 날 보니 '손바닥 대도 안 아프네?' 하
는 것이었다. 이 과정이 2~3년 걸렸다. 이때 나의
경험은 큰 자산이 되었다. 아플 때는 쉬어야 한다.
안 아프게 운동해야 좋아진다. 예전보다 더 건강
해질 수 있다.

66

손목을 강화하기 위해
손바닥으로 바닥을 짚고, 체중을 실었다.
그러다 아프면 병원에 가서
소염제를 처방받아서 먹었다.
자꾸 아프니 요가 실력은 늘지 않고,
안 아픈 날보다 아픈 날이 많았다.

99

2. 인생 첫 교통사고, 허리 통증의 시작

대학교 졸업반쯤, 어느 가을날 교수님과 함께하는 모임에 참석했다. 모임에 사람들도 친절했지만, 언제나 맛있는 식당에서 만났기에 빠지는 일이 거의 없었다.

그날도 횟집에서 저녁을 먹고 2차는 와인 바를 갔다. 자상한 교수님과 친근한 선후배들과 웃으며 이야기하다 보니 막차가 끊겼다. 같은 동네에 사는 선배와 택시를 타기로 했다. '횟집, 와인바, 택시까지 타다니 대학을 졸업하고 사회인이 되면 나도 이렇게 되겠지!' 황홀한 생각을 했다.

모임은, 교수님이 강의한 민사소송법을 들었던 세자들이 뜻을 모아 지금까지 16년째 함께 하고 있다. 사실 나는 그 수업을 듣지 않았는데 선배를 따라갔다가 인연이 닿았다. 교수님은 모임 때마다 귀감이 되는 말과 지혜를 나눠준다. 그날도 '건강을 잃는 것은 모두 잃어버리는 것과 같으니, 반드시 건강을 잘 챙기라'는 말을 들었다.

택시 뒷자리에 선배와 나란히 앉았다. 오른 다리를 위로 올려 꼬고, 상체는 반쯤 선배를 보고 앉았다. 자정이 넘은 서울의 도로는 한산했다. 우리가 탄 택시는 가을밤을 시원하게 달렸다. 눈 깜짝사이 □□터널을 빠져나오는 순간 쾅! 큰소리를내며 택시가 가로수를 박았다. 나는 몸이 앞으로튀어 나가며 조수석에 몸을 부딪혔다. 꼬았던 다리를 손으로 풀었다. 술기운이었는지 우리는 몸에이상이 없다고 느껴 '별일이야 있겠어?' 하고다른 택시를 타고 귀가했다. 집으로 돌아오면서교통사고가 나도 내 몸은 끄떡없다고 자신했다.

하지만 집에 들어와 잠자려고 침대에 누웠는데허리가 점점 아파져 왔다. 이후 허리를 시작으로다리까지 저려, 돌아누우려 해도 도저히 움직일수 없는 통증과 두려움이 엄습했다. 119를 불러야 하나 어느 병원으로 가야 하나 고민하다 날이밝았다. 결국 다음날 입원을 했다.

병원에서 엑스레이도 찍고 MRI도 찍고 여러 가지 검사를 했다. 의사는 '큰 이상이 없으니 며칠더 두고 보자'고 했다. 의사는 큰 이상이 없다고했지만, 나는 누워있으면 허리가 후들거리고, 앉아있으면 발끝까지 찌릿했다. 증상이 없어지지 않아 한 달 남짓 병원 신세를 져야 했다. '학교도 다녀야 하는데 더는 안 되겠다.' 통원 치료를 결정했지만, 통증은 여전했다.

주변에서 추천해 주는 병원을 여러 군데 찾아다녔다. 남대문 시장에 허리 아픈 사람들은 다 다닌다는 연신내에 위치한 통증의학과를 다니고, 청량리에 침을 잘 놓기로 유명한 한의원도 다녔지만 무용지물이었다.

병원을 오고 가는 길에서 만나는 내 또래의 사람들을 보면 기분이 침울해졌다. 다가오는 방학에 관해 이야기하며 거리를 활보하는 모습, 공연을 보기 위해 줄 서 있는 모습들이 나만 빼고 모두 행복해 보였다. 세상엔 재밌는 게 많은데 나만 아파서 아무것도 할 수 없게 느껴져 화가 나기도 했다. 하숙방 창문으로 보이는 학교 도서관에 밤늦게까지 켜진 불을 누워서 보며 매일 밤 눈물을 흘렸다.

그때의 나는 '영화관에 앉아 애니메이션 한 편 보는 게' 소원이었고, 과연 그런 날이 올까? 이런 몸으로 어떤 일(job)을 할 수 있을까? 하는 고민이 컸다.

허리가 아프니까 '허리 운동을 해라' '허리를 강화해야 한다.' 주변에서 조언을 해줬다. 그래서 새벽 수영을 하고, 주말이면 혼자 동네 산에 올랐다. 몸이 아프니 '허리에 좋다.' 하면 뭐든지 다 따라 하게 됐는데, 그중에는 나에게 맞는 것도 있고 안 맞는 것도 있었다. 접영. 코브라 자세는 안 맞는 동작 중 하나였다. 허리가 아파서 허리를 강화하는 동작이 오히려 며칠 동안 통증을 유발하는 것이었다.

그맘때 언니랑 통화를 하는데 '차라리 스쿼트를 100개씩 해봐.' 해서 그날부터 따라 했다. 손으로 만져보면 분명 허리에 힘이 들어가고 있는데, 운동을 하고 나서 허리가 아프지 않았다. '밑져야 본전이다.' 는 생각으로 달력에 동그라미를 쳐가면서 한 달을 채웠다. '이 정도면 병원에 안 가도 되겠는데?' 생각이 들어 병원을 끊고 스쿼트를 열심히 했다.

지금 돌이켜보면, 처음엔 사고에 의한 통증이긴

했지만 한 달 동안 병원에 있으며 근육이 감소해 나중에 통증의 원인이 된 것으로 보인다. 엉덩이라는 척추의 토양이 메말라지자, 몸을 세워야 하는 허리에서 과부하가 걸린 것이다. 그래서 엉덩이를 탄탄하게 하자 허리의 긴장도가 낮아지면서 허리가 아픈 것이 좋아졌다. 아픈 곳은 '결과'이다. 그 주변을 살펴 '원인'을 찾아 해결하는 움직임이 더욱 중요한 것임을 알게 한 소중한 경험이다.

3. 둘째 낳고 얻은 무릎연골연화증

둘째를 출산하러 병원에 갔다. 진통을 겪으며 자궁이 열리길 기다리는데 갑자기 왼쪽 무릎이 아프기 시작했다. 침대에 앉아 남편에게 무릎을 주물러 달라고 했다. 간호사는 '걸어 다녀야 애가 빨리 내려온다'고 일렀지만, 나는 무릎이 아파 제자리에 일어서기도 힘들었다.

조리원 퇴소 후에도 무릎이 낫지 않아 집으로 산후도우미가 찾아오는 서비스를 이용했다. 한번은 축하 선물로 받은 아기옷을 바꾸려고 시내에 있는 가게 근처에 주차를 했다. 옷가게까지는 한 블록 정도를 걸었다. 분명 얼마 걷지 않았는데 가게에 들어서자 왼쪽 무릎 통증이 심해 의자에 주저앉아 버렸다. 집으로 돌아와 따뜻한 수건으로 찜질을 하니 한결 나아졌다. 이후로도 집 밖을 나갔다 오면 아픈 무릎 때문에 산후도우미가 큰아이 등·하원을 도와줬다.

한 번 아프면 며칠 가는 통증 때문에 정형외과를 찾았다.

"무릎 연골연화증입니다. 이거 그냥 두면 퇴행

성관절염 되니까 관리 잘해야 해요."

"선생님 수술하면 좋아질까요?"

"이 정도로 뭔 수술이야. 나이도 젊으니까 관리하면 되겠네."

"관리라면 어떤 거 말씀이세요?"

"살 빼고 운동해야지."

다행히 날이 갈수록 무릎의 통증 정도가 약해졌다. 아픈 날도 잦아들었다. 둘째가 태어난 지 4개월 정도 지나 봄이 되자 아이들을 데리고 고창에 있는 상하 농원에 나들이를 갔다. 둘째는 남편이 아기 띠로 안고, 나는 동물에 취해 여기저기 오가는 첫째를 부지런히 따라다녔다.

가다 보니 농원보다 좀 더 높은 곳에 펜션이 있었다. 언덕을 뛰어오르는 아이를 따라 오른발로 땅을 힘차게 밀어내 온몸이 공중에 잠깐 떴다가 왼발로 착지하는 순간 '우지끈' 다시 통증이 시작됐다. 결국 그날 나는 둘째와 카페에 앉아있고, 남편과 첫째는 상하 농원을 반나절이나 실컷 놀고 집으로 돌아왔다. 차 안에서 '앞으로 산에 가는 건 꿈도 못 꾸겠다.' 혼자 중얼거렸다.

둘째가 태어난 지 돌이 됐을 때 우리는 3층 주택으로 이사했다. 아이들이 놀기도 좋고 근처에 편의시설이 잘 돼 있어서 생활하기에 편했다. 하지만 딱 한 가지, 예상하지 못한 일이 생겼다. 둘째가 유치원에 갔다가 집에 오는 차량에서 잠이 들어 오는 것이었다. 아파트였으면 유모차에 실어 엘리베이터를 타고 현관까지 갈 수 있지만, 주택에서는 불가능했다.

잠에 취해 몸을 못 가누는 아이를 업거나 안아서 계단을 오르려니 곤욕이었다. 아이는 커가면서 몸무게가 늘어나 점점 무거워졌고, 꼬박 네 살까지 유치원 차량에서 낮잠을 자는 일이 많았다. 통증이 심한 날엔 엄마와 언니가 와서 하원을 도왔다. 지금 생각해도 그때는 '오늘은 제발 잠을 자지 말고 내려라.' 하고 날마다 기도할 만큼 힘들었다.

둘째가 6살이 된 지금은, 무릎이 아픈 날보다 안 아픈 날이 더 많다. 지금도 건강해지기 위해 꾸준히 노력하고 있는데, 그중의 하나가 무릎에 좋은 것을 하는 것도 있지만 그보다 나쁜 것을 하지 않는 것이다. 나는 운전을 할 때 왼쪽 신발을 벗고 나비 다리를 하는 게 편하고, 식사를 위해 식탁 의자에 앉아서도 양반다리를 하는 걸 즐겼다. 회원의 자세를 잡아줄 때도 쪼그려 앉아서 돌봐 왔다. 기능성이 없는 슬리퍼를 신고 아이들 등·하원도 즐겼었다.

이제는 운전할 때 신발을 벗지 않기 위해 운동화를 신고, 가까운 곳도 운동화를 신고 걷는다. 식사할 때는 의자를 식탁에 가까이 붙여 앉는다. 필라테스 레슨에 꼭 필요한 때에는 엉덩이를 바닥에 붙여 앉는다.

이따금 무릎 통증이 찾아와 나를 괴롭히지만 이내 감사한 마음이 든다. 지금 아프기 때문에 내 몸에 관심을 두고 관리를 하게 된다는 것이다.

예전에 공부할 때 만난 사람은 40대 남자였는데, 자기 무릎에 연골이 닳아 거의 없다고 말했다. 우연히 병원에서 엑스레이 사진을 찍었는데 의사가 '아주 아플 텐데 어떻게 참으셨어요? 당장 수술을 해야 할 정도'인데 '근육이 많아서 괜찮은 것 같으니 계속 운동 열심히 하' 라는 말을 들었단다. 나는 그분에 비하면 연골도 건강하니 더욱 근력 운동에 힘써서 내 다리를 튼튼하게 만들어야 겠다. 건강하게 잘 관리해 나이가 들어서도 해외 여행도 마음껏 가고, 산티아고도 걷는 멋쟁이 할머니가 되어야겠다.

4. 육아가 내게 남긴 것, 목뼈 5번과 6번

둘째가 태어난 지 50일 정도 됐을 때다. 주말에 늦잠을 자고 거실로 나오는데 "잘 때 왜 만세하고 자?" 남편이 묻는다. '내가 그렇게 잔다고?' 그 자리에서 바닥에 누워보았다. 차렷을 하고 있으면 날갯죽지에서 부글부글 열이 나면서 이상하게 뜨거운 느낌이 들었다. 팔을 옆으로 반이나 만세 하듯이 들고 있으니, 몸의 고단함이 풀리는 듯 한결 편했다. 그래서 잠을 잘 때 나도 모르게 편한 자세를 취했나 보다.

첫째가 태어났을 때는 머리를 가눌 수 있는 시기에 포대기를 사용했다. 어깨에 끈이 조금 느슨해도 나의 허리와 아기의 다리를 끈으로 둘러 안정감 있게 보살필 수 있었다. 둘째를 출산하고는 신생아 아기 띠를 선물 받았다. 고개를 가누지 못하는 아기에게도 사용할 수 있는 게 큰 장점이었다. 특히 출산 후에 손목이 약해졌던 탓에 아기 띠를 하면 그사이 손이 쉴 수 있고, 아이와 밀착된 느낌이 좋아 하루 내내 그 아기 띠를 곁에 두고 애용했다.

한 달 정도 썼을까? 어느 날부터 목이 등에서 뻗

힐 것 같은 기분이 들었다. 아기 띠가 무게를 분담하지 못하고 오롯이 어깨로만 아이를 받치는 것이 무리가 됐다. 목이 한번 아프기 시작하니 아이 기저귀를 가는 것, 목욕을 시키는 것, 아기와 놀려고 숙이는 모든 자세에서 목 주변의 통증이 있었다. 그게 점점 심해지더니 오른쪽 날갯죽지가 불이 난 것처럼 찌릿찌릿했다.

동네 신경외과를 찾았다. 의사는 목뼈 5번과 6번 사이의 간격이 좁아져 있다고 했다. 주사 치료를 시작했다. 큰 주사기로 목, 어깨, 등 주변을 쑤셨다. 치료받고 나면 그 자리엔 피투성이였다. 일시적 통증 완화책인 것 같은, 이 무서운 주사 치료를 매번 그만 두려워했으나 아플 때마다 노예가 된 듯 주사 치료를 받았다.

통증과 치료가 반복되는 와중에도 일상을 멈출순 없었다. 집에 돌아오면 기저귀를 갈고, 칭얼대는 아기와 놀고, 이유식을 만들었다. 집안에 어린 아이와 있으니 계속 고개를 숙이고 살았다. 그러니 통증이 가실 날이 없었다.

그러다 어느 날 아이들이 없는 시간 친구와 집 앞 카페에서 수다를 떠는데 통증이 덜하다는 것을 알게 되었다. 나보다 낮은 높이에 있는 아이들에게 눈맞춤을 하던 일상에서 벗어나 시선을 조금 멀리 두거나 혹은 나와 같은 눈높이에 있는 대상을 볼 때 아프지 않다는 걸 깨달은 것이다. 고개를 드는 것만으로도 덜 아프다는 것! 스트레칭이나 찜질, 고가의 치료까지 가지 않아도. 내 몸이 더 괜찮아질 수 있는 방법을 찾을 것이다.

그날 이후로 난 설거지하다가 고개를 들어 창문 너머를 종종 보게 되었다. 아이들과는 집 밖에 나와 활동하는 시간을 보내기 위해 노력한다. 시선에 변화를 주기 위해서!

5. 두 번째 교통사고, 다마스에 부딪혀
   어깨 통증

2023년 3월 수요일이었다. 그날은 레슨이 없는 쉬는 날이었다. 하늘은 파랗고 봄바람도 시원해 E 와 함께 산에 다녀왔다. 집에 오는 길에 아이들이 좋아하는 초코 도넛을 샀다. 신호등이 초록 불로 바뀌자, 횡단보도를 건넜다. 절반이나 지났을 때 뭔가가 그림자를 드리우듯 가까워졌다.

'멈추겠지' 생각했는데 '퍽' 하고 나를 밀쳤다. 가해 차량은 다마스였다. 높이가 높은 탓인지 나의 오른쪽 상체를 강타했다. 나는 차에 밀려 바닥에 주저앉았다. 같이 길을 건너던 사람들의 도움으로 119구급차를 타고 병원으로 옮겨졌다.

응급실로 들어갔는데 속은 토할 것처럼 메스껍고, 오른쪽 어깨가 아파서 왼손으로 오른팔을 붙들고 있었다. 침대에 실려 영상의학과로 들어갔다. 엑스레이를 찍으려면 속옷을 벗고 옷을 갈아입어야 하는데 팔이 올라가지 않았다. 결국 직원의 도움으로 그 자리에서 옷을 벗어 갈아입었다.

다음날이 되니 통증은 더욱 심해졌다. 숨만 쉬어도 오른쪽 귀 뒤에서부터 오른쪽 어깨, 날개뼈,

팔꿈치, 오른쪽 등, 허리, 골반이 아팠다. 뒤척일 수 없는 통증에 자다가 일어나 진통제를 맞고, 움직일 수 없는 어지러움에 누워있기를 일주일 정도 했다. 이후 한 의사는 "차량과 차량이 사고가 나도 몸에 무리가 가는데, 이건 맨몸으로 맞았으니 사고의 충격을 몸이 고스란히 다 흡수한 거예요. 오래 갈 겁니다."라고 했다. 이후 더욱 열심히 물리치료와 약을 꼬박꼬박 챙겼다.

퇴원하는 날 남편과 아이들이 데리러 왔다. 아이들은 병원에서부터 보고 싶었다고 안겼고, 집에 가서는 배고프다고 밥을 달라고 성화였다. 집으로 돌아와 밥을 해 먹고 치우는 일, 세탁기 돌리고 옷 정리, 책상 정리, 청소하기 등 집안에서 자꾸 몸을 쓰게 되니 통증이 잠잘 날이 없었다.

출근해서는 동작 시범을 보이는데, 엎드린 자세에서 양 손바닥을 바닥에 대고 엉덩이와 무릎을 떼어내는 플랭크를 하거나, 고무 밴드의 양 끝을 잡아 뒤로 당기는 동작, 4킬로그램의 케틀벨을 들고 동작하면 어깨부터 골반까지의 통증이 살아난다. 상체 오른쪽 전체의 통증으로 몸이 오른쪽으로 말리는 기분이 든다.

　엎친 데 덮친 격으로 올해는 장마가 유독 길다. '날구지(날씨가 흐리면 여기저기가 아픈 상태) 하는 거 보니까 내일 비가 오려나 보다.' 했던 회원의 말을 온몸으로 경험하고 있다. 비가 오기 전이나 오는 날이 되면 오른쪽 귀 뒤에서부터 어깨, 등, 허리, 골반이 사고 난 다음 날처럼 아프다. 그럴 땐 목욕탕에 가서 따뜻한 물에 들어가고 싶은 생각, 물리치료를 가서 뜨끈하게 찜질하고픈 마음이 굴뚝같다.

　허리 찜질기를 꺼내 어깨에 대고 눕는다. 20분 정도 지나면 고개를 오른쪽 왼쪽으로 천천히 움직인다. 양손을 깍지 끼어 머리 위로 기지개를 크게 한다. 두 다리도 쭉 뻗어내며 온몸 전체를 늘려준다. 마지막으로 상체를 오른쪽 왼쪽으로 돌려가며 온몸의 감각을 깨운다. 늘리고 강화한다는 느낌보다, 아픈 몸 상태의 자세가 고정되지 않도록 살살 움직여 주는 것이다.

　그리고 생각한다. 나는 예전보다 더욱 건강해질

것이다. 나는 예전보다 더욱 건강해질 것이다. 나
는 예전보다 더욱 건강해질 것이다.

"

차량과 차량이 사고가 나도
몸에 무리가 가는데,
이건 맨몸으로 맞았으니
사고의 충격을 몸이 고스란히
다 흡수한 거예요. 오래 갈 겁니다.

"

몸이 하는 말들

2부 날 위한 몸 공부

누군가의 몸을 돕는 사람이 되기까지

1. 요가와의 첫 만남

2011년 언니가 여수에 요가센터를 개원했다. 지난 몇 년 동안 서울이며 제주, 인도 등지로 요가를 배우러 다녔기에 언니의 행보가 자연스레 느껴졌다. 그동안 여수에는 피트니스에서 하는 GX 프로그램이나 주민센터에서 하는 요가 수업이 많았는데, 전문화된 대형 요가원이 처음 들어서자, 인기가 많았다.

2012년은 우리나라에 핫요가(비크람요가)가 유행이었다. 요가의 기원지인 인도와 유사한 온도, 습도를 유지해 동작(아사나)하는 것인데, 덥고 습하니 땀이 많이 났다. TV에서도 여자 연예인들이 몸매 유지 비결로 핫요가를 꼽으며 인기가 좋았던 것으로 기억한다.

센터를 오픈하고 6개월이나 지났을까? 언니한테 전화가 왔다.

"진아, 내려와서 같이 요가하자. 서울에서 혼자 있지 말고 같이 하면서 너도 몸 좀 챙겨."

몸도 마음도 많이 지쳐 있던 터라, 그길로 내려

와 아침과 저녁에는 회원 관리를 하고 낮에는 요
가 공부를 했다.

　이후 서울에서 요가 지도자 수업을 들었다. 지
도자 수업이 열리면 당일에 바로 마감이 될 정도
로 인기가 많았는데, 지도하는 강사의 요가복은
매번 달랐고, 귀걸이도 화려한 것을 착용했다. 교
육 기간에 선생님의 생일이 있었는데, 선물을 사
와서 쉬는 시간을 기다리는 사람들도 상당했다.
매시간 그분이 뭐라고 말을 하면 눈물을 흘리는
사람이 있는 것도 신기했다. 운동도 하고, 사람들
에게 영향력도 행사하고, 사랑도 받는 모습이 멋
져 보였다.

　'나도 요가를 잘해서 ' 스타강사 ' 가 되어야
겠다.' 생각하며 열심히 수업을 따라갔다.

"

진아, 내려와서 같이 요가하자.
서울에서 혼자 있지 말고
같이 하면서 너도 몸 좀 챙겨.

"

2. 좋은 몸 선생은 개개인의 몸을 읽을 줄 안다

고등학생 때 신체검사하면 유연성 테스트가 있었다. 기구 위에 앉은 자세에서 상체를 앞으로 숙여 바bar를 밀어 유연성한 정도를 숫자로 기록하는 것이다. 나는 두 다리를 앞으로 쭉 펴고 앉으면 몸을 세우기 어려울 만큼 뻣뻣했다. 뒷번호 친구에게 "내가 앞으로 숙이면 뒤에서 내 등 좀 눌러줘." 부탁할 정도였다.

요가 강사가 되기로 결심하고 가장 난항이었던 것은 뻣뻣함이었다. 지도자 수업이 아닌 일반 센터 수업에 참여했는데 모두 나보다 유연해 보였다. 심각한 것은 앞 사람은 양손이 발바닥 앞에서 깍지를 끼고 이마를 정강이에 대고 편안한 얼굴을 하고 있었다. 옆 사람은 두 다리를 옆으로 활짝 펼친 것으로 모자라 상체를 앞으로 숙이고 눈을 감고 있는 것이 편안해 보였다. '내가 저런 사람들 앞에서 시범을 어떻게 보이지?'

우연히 요가원 휴게실에서 우연히 다른 사람들이 하는 얘기를 듣게 됐다. "ㅇㅇ애기 들었어? 요가하다가 선생님이 눌러서 햄스트링(허벅지 뒤 근육) 찢어졌대." "말도마. ㅁㅁ도 요가하다가 허리디스크 터져서 수술했잖아. 안 되는 걸 힘으로 하니까 몸이 남아나겠냐고. 이따가 ○○한테 전화나 한 통 해 봐야겠다."

'나도 선생님이 누르면 무릎이 아팠는데....' 걱정과 불안이 엄습했다. 그 이야기를 들은 이후 요가선생님이 내 근처에만 와도 '제발 누르지 마세요. 다치면 안 돼요.' 속으로 소리를 질렀다.

우리는 건강을 유지하거나 회복하기 위해 운동을 시작한다. 좋은 의도로 시작하지만 다치면 몇 주 몇 달을 고생한다. 게다가 또 다칠까 무서워서 그 운동을 다시 시작할 엄두가 나지 않는다. 몸도 지키고, 회원도 잃지 않기 위해 '절대 누르지 말아야겠다.' 다짐했다.

요가 강사가 된 후에도 다양한 선생님의 수업을 들어보고 싶어 다른 요가원에 수련을 다녔다. 한 달 동안 다녔던 센터의 A 선생님은 '잘 가르치기 '로 유명한 선생님이었다. 수련하며 인상적이었던 것이 손으로 누르지 않고도, 더 강한 자극을 만드는 것이었다. 한 번은 왼손을 만세로 들어 올

려 오른쪽으로 쭉 뻗어내는 동작이었는데 손가락
을 잡아당기지 않고 말했다

 "손끝은 제 손바닥에 대보세요."

 목표가 생기니 더 뻗어내며 스트레칭이 더 깊어
졌다. 다른 한 번은 다리를 앞뒤로 뻗는(찢는) 동
작이었다.

 "뻣뻣한 분들은 블록을 손으로 잡고 하세요. 앞
에 있는 오른쪽 발바닥을 벽에 붙이고 왼 다리를
뒤로 뻗으세요. 골반을 오른쪽으로 돌리세요."

 집으로 돌아와 강사가 손으로 누르는 것과 방향
을 제시하는 것의 차이를 정리해 보았다. 손으로
누르는 것은 회원 입장에서 '당하는' 것이다. 무방
비 상태에서 누르는 압력을 당하는 것이기에 다치
는 사람이 있을 수 있다.

 반면 방향을 제시하는 것은 회원이 '스스로 하
는' 것이다. 일단 중심을 잃지 않으며 자신이 뻗는
방향과 그 감각을 경험하는 것이다. 다음에 손을

뻗는 동작을 다시 하게 될 때 예전의 경험을 떠올려 스스로 자세를 취할 수 있었다.

개개인의 상황을 고려하여 소도구를 적절하게 사용하는 것도 인상적이었다. 센터에 있으면서 조금만 난이도가 높은 동작을 두어 개 하면 초보자는 '똑같은 돈을 내고하는데, 저분들만 운동하는 것 같아요. 저는 따라 할 수가 없어요.' 하며 발길을 끊는 것을 보았다. 초보자에게 맞는 수업은 숙련자에게는 '돈이 아까운' 클래스가 될 수 있고 말이다. 모두를 아우르고 잘 가르치는 사람은 '디테일' 함이 있었다.

"

우리는 건강을 유지하거나 회복하기 위해
운동을 시작한다.
좋은 의도로 시작하지만 다치면
몇 주 몇 달을 고생한다.
게다가 또 다칠까 무서워서 그 운동을
다시 시작할 엄두가 나지 않는다.

"

3. 선생님 그게 아니라니까요

요즘은 해양경찰 교육원에서 수업이 대부분 체육관이나 실습실로 바닥에 매트가 깔린 곳에서 진행한다. 초반에만 하더라도 소강당에 앞뒤로 의자가 붙어있거나, 강의실에 책상과 의자 일체형인 곳에서 '요가'를 했다.

"요가 수업이 한 시간이니 '열심히' 스트레칭 알려줘야지!"

의자에 앉아서 할 수 있는 동작을 다양하게 준비했다. 같은 교육생을 대상으로 사흘 연속 강의를 나가게 된 일이 있다. 첫 번째 날엔 전원이 참석했는데 둘째 날이 되니 입실하지 않고 문 앞을 서성이는 분들이 많았다.

"안 들어가세요?"
"어제 해보니 너무 힘들어서 오늘은 좀 쉬려고요."

그날도 한 명 한 명 자세를 잡아주며 수업을 진행했다. 끝날 때 보니 시작 인원의 딱 절반만 남았다. 수업이 끝나자, 참관하던 담당자가 나를 잡았다.

"사무실에 올라가서 얘기 좀 나누시죠."

"수강생들이 선생님 수업 힘들다고 나와 있더라고요. 알고 계시는가요? 저희가 요가 수업을 넣은 이유는 교육이 힘드니까 중간에 스트레칭도 하고 좀 쉬라는 의미예요."

"그래서 스트레칭으로 진행하고 있어요."

"선생님 그게 아니라니까요. 예를 들면 조금 있으면 김장철이 다가오니까 그럴 때 하면 좋은 손목 돌리기나 어깨 스트레칭 이런 거 해주세요."

센터에서는 수업을 잘한다고 칭찬받았는데, 외부에서 '부정적인' 피드백을 받으니, 얼굴이 시뻘게졌다. 그날 이후 출강에 나가서 하는 요가를 센터에서 하는 요가와 다른 것으로 생각하기로 했다. 감정 카드, 아로마테라피, 마사지, 해부학 강의, 아이스 브레이킹, 커플 요가, 명상, 신체 나이테스트 등 여러 가지를 시도했다.

그 과정을 통해 내가 가장 자신 있고, 수강생들의 반응이 좋은 내용들로 수업을 구성할 수 있었다. 이제는 시시때때로 대상자의 연령과 니즈에 따라 수업을 변주해서 진행할 정도로 경험이 쌓였다.

"수강생들 교육 만족도 검사에서 선생님 수업이 또 1등 했어요!"

코로나 시국에는 온라인으로 강의를 진행할 수도 있었다.

"수도권에도 요가강사는 많습니다. 하지만 꼭 선생님이 해주셨으면 좋겠습니다. 부탁드립니다."

지금은 처음에 내게 조언을 해준 관리자를 만날 수 없어 아쉽다. 언젠가 다시 만나게 된다면 성장할 수 있도록 피드백과 이후에도 수업 기회를 준 것에 꼭 감사 인사를 하고 싶다.

4. 우리 몸을 진짜 쉬게 한다는 것

해양경찰 교육원에 4시 10분부터 6시까지 출강을 다녀왔다. 수업 장소로 한 명씩 들어온다. 앙다문 입술, 표정이 없는 얼굴, 내 매트에서 가장 먼 곳에 자리 잡아 앉아서 고개를 숙이고 핸드폰만 들여다본다.

"몇 주 동안 참여하는 교육이세요?"

"...."

"하루종일 수업 들으셨어요?"

"...."

요가를 시작하겠습니다. 여러분은 '휴식' 할 때 뭐 하세요? 무엇을 하고 나면 에너지가 충전된 기분이 되나요? 저는 얼마 전에 출산한 지 얼마 안 된 친구와 연락할 일이 있었습니다. 갓난아이가 드디어 잠이 들었다며 카톡 메시지를 보내왔더라고요. 이런저런 이야기를 하다가 친구가 그런 말을 해요. "벌써 깼다. 더 자고 일어나지는. 아직 못 쉬었는데!" 그런데 제가 연락한 시간을 보니까 애가 두 시간 정도 잤거든요. 또 그 친구는 아까 아기 재우고 계속 옆에 누워서 핸드폰 만지고 있었거든요! 근데 못 쉬었대요.

그리고 보니까 우리 집에도 그런 사람이 한 명 있어요. 주말 내내 소파에 앉았다 누웠다 하면서 텔레비전 봤다가 스마트폰 봤다 하다가 밤이 되니까 "아, 이제 좀 쉬어야겠다." 그러면서 방으로 가요. 그러면 하루 종일 쉰다고 누워있던 건 뭐지요? (웃음) 이건 몸이 아는 거예요. 텔레비전을 보고 스마트폰을 하는 것은 몸은 쉬는 게 아니에요. 몸은 가만히 있지만 뇌는 계속 들어오는 이미지와 정보를 처리하느라 못하는 것입니다. 밥을 먹으면서 오늘 할 일을 떠올리고, 잠자기 전에 과거의 일을 회상하고 후회하는 것, 목욕하면서 미래에 대해 걱정하는 일들이 모두 뇌를 소모하는 일입니다.

그러면 뇌를 쉬게 하려면 어떻게 해야 할까요? 바로 '현재'에 집중하는 것입니다. 오늘 저와 함께 동작하면서 그저 자극되는 부분을 떠올리고 느껴보시기를 바랍니다.

정면을 바라보고 나비 다리(양반다리)를 하고 앉아 양 손끝을 엉덩이 옆에 바닥에 닿게 합니다. 키가 커지도록 허리를 세웁니다. 고개를 돌리지

않고 정면을 바라보며 그대로 오른쪽으로 기울입
니다. 왼쪽 목 옆에서 늘어나는 것을 느낍니다. 거
기서 왼손이 바닥을 더 강하게 누르면서 왼쪽 어
깨 윗부분도 길어지는 것을 느낄 수 있습니다. 늘
어나는 그곳에 집중하며 호흡합니다.

"아 개운합니다."

"요가 수업 매일 있으면 좋겠네요."

"그냥 핸드폰 보며 쉬는 것보다 훨씬 시원합니
다."

"뭔가 할 수 있을 것 같은 자신감이 생기네
요."

"신기하네요. 동작을 보고 따라 할 때는 아무
느낌이 안 드는데, 선생님이 'oo를 느끼세요'
하면 진짜 거기가 느껴져요!"

동그랗게 커진 눈으로 한마디씩 인사를 나누고
퇴실하는 교육생들과 인사했다. 최고의 휴식은 그
저 있는 그대로를 느끼는 것이면 족하다. 잘 쉬었
으니, 앞으로의 교육도 마무리 잘하길 마음속으로
응원했다.

5. 해부학에 빠지다

요가를 하면 할수록 '이게 맞나?' 혼자 생각하는 시간이 길어졌다. 하나는, 요가는 '마음'을 수련하는 것인데 사람들은 운동이라고 생각하는 것이었다. 분명 공부할 때 '자기 자신을 다스리는 수련'이라고 배웠다. 특히 아사나(동작)를 하는 것은 '사바사나'라고 하는 명상을 위한 것인데, 요가원에서는 사바사나를 하지 않고 퇴실하거나, 코를 골며 잠을 자는 사람이 많았다.

다른 하나는, 회원은 '몸'에 대해 궁금해했다.

"손목이 왜 아플까요?"
"허리가 아픈데 무슨 동작이 좋을까요?"
"어떻게 하면 살 빠져요?"

몸에 대한 것이 대부분이었다. 나 역시 근육과 뼈에 부상이 잦고 통증도 심했기 때문인지 몸에 대한 직접적이고 과학적인 원리를 알려주는 데 해부학에 끌렸던 것 같다. 해부학 수업을 듣기 위해 필라테스 지도자 과정에 신청했다.

해부학 강의를 듣는 첫날부터 나는 깊이 빠져

들었다. 필라테스는 1차 세계대전 이후 조셉 필라테스라는 사람이 전쟁 부상자들의 재활을 위해 침대에서 할 수 있는 운동을 고안한 것이 시작이다. 아픈 사람들을 위해 만들어진 운동이라는 사실부터 매력적이었다.

수업을 들으며 내 몸을 대입했다. 중고등 학창 시절 학교에 가기 전 교복을 반듯하게 입었는데 점심시간쯤 지나 보면 치마가 오른쪽으로 돌아가 있는 것은 골반이 오른쪽으로 회전돼 있기 때문이었다.

허리 뒤를 만져보면 커브가 없이 밋밋했는데, 골반이 뒤로 기울여지며 허리의 커브가 사라지고, 등과 목까지 일자 척추로 전이 중이었다. 필라테스를 공부할수록 내게도, 센터 회원들에게도 유익한 운동이라고 확신하게 되었다.

근육과 관절에 대해 배울 때는 각 수업 내용마다 센터에서 만난 회원들이 생각났다. 승모근을 배울 때는, 결혼사진 촬영을 앞둔 J가 생각났다. J는 어깨가 드러나는 드레스를 입고 싶은데 우뚝

솟아난 승모근이 보기 싫다고 어깨 스트레칭에 관해 물었다. 그리고 승모근 주사를 맞으러 갈 병원도 알아봤다고 얘기했다.

공부를 해보니 어깨에 근육이 없어서 어깨가 자꾸 내려 가는 것이 문제였다. 승모근은 자꾸 처지는 어깨를 가까스로 붙잡고 있느라 힘든 것이었고, 눈으로 보기에 승모근이 성난 것처럼 보였다.

이 문제를 해결하기 위해서는 어깨 운동을 통해 승모근의 도드라진 것을 완만하게 챙기는 것이었다. 센터로 돌아와 J에게 설명했다. 우리 머리로 이해하니 운동을 더욱 재밌고, 효과적으로 할 수 있었다.

나는 배운 것을 내 몸에 적용하며 아프지 않게 운동할 수 있어 좋았다. 회원의 자세 또한 좋아지는 것을 경험이 쌓이며, 나와 다른 사람들 몸의 회복을 돕는 필라테스 강사가 되기로 결심했다.

6. 필라테스 강사 5년 차에 다시 지도자 과정을 수강한 이유

필라테스 강사를 시작해 5년 차가 되었을 때다. '자세를 잘 잡아준다'고 입소문이 나기 시작해 많은 사람을 만났다.

그때 개인레슨을 받으러 온 회원 중에는 소뇌위축증, 임신부, 허리디스크 수술, 평발, 어깨충돌증후군 등등 몸 상태가 매우 힘든 분들이 있었다. 나름대로 책도 찾아보고 물리치료사인 지인에게 질문도 해가며 레슨을 이어 나갔지만, 그 회원들에게는 더 전문적인 운동이 필요하다고 느꼈다. 그래서 임신 후반기에 필라테스 전문가 과정을 한 번 더 듣기로 했다.

대전에서 주말마다 아침부터 저녁까지 수업을 듣는 과정이었다. 특히 수업이 종료되는 날은 임신 36주 차가 되는 날이었다. 만삭의 몸으로 여수에서 대전까지 오가는 일이 힘들 법도 하지만, 배움에 대한 열정으로 결석도 지각도 하지 않았다.

수업을 들으러 갈 때마다 책을 보면서 궁금했던 점, 회원들의 움직임에서 발견한 특징 등을 정리해 질문했다. 쉬는 시간, 점심시간 때마다 질문도 많이 했다. 그때 수업을 이끌었던 담당 교수는 장이 끝날 때마다 나에게 물을 정도였다.

"윤진 선생님, 넘어가도 되겠습니까?"

같이 수업을 듣는 사람들은 물리치료사 출신, 요가원 원장, 통역사 등 직업이 다양했다. 그중에서도 부산에서 '마사지숍'을 운영하는 원장에게 많은 걸 배웠다.

"마사지숍을 하는데 필라테스를 배우는 이유가 뭐예요?"
"자세가 안 좋은 사람들이 몸이 아프니까 마사지를 받으러 많이 옵니다. 손으로 풀어놓으면 그때는 자세가 좋아지고 통증도 가라앉아요. 그런데 일주일 뒤에 오면 다시 예전으로 돌아가 있어요. 마사지로 풀어주고, 그 상태를 고정해 줄 운동을 해야 자세가 좋아지겠더라고요. 그래서 공부하러 왔습니다."

그렇다. 관절은 뼈와 뼈가 만나는 것이고, 뼈는 근육으로 움직인다. 근육의 균형이 맞아야 좋은 자세를 만들 수 있다. 나 역시 항상 몸의 힘이 센 것보다 좌우 균형이 잘 맞는 게 중요하다고 강조하고 있다. 가령 오른쪽 옆구리가 강하다면 몸이 오른쪽으로 휘게 되는 것이다. 그게 나의 자세가 만들어진다.

물리치료나 마사지는 근육을 이완해 주는 것이다. 이완 후에는 바르게 세우는 근력운동이 필요하다. 근육은 내 몸을 세우는 천연 복대라고 할 수 있다. 천연 철심을 박는 일이다.

라운드 숄더(굽은 어깨)에 대한 마사지숍 원장의 특훈이 있었다. '라운드숄더는 어깨가 앞으로 굽으면서 앞쪽의 근육은 짧아지고 뻣뻣하게 굳었어요. 어깨를 펴는 것은 앞에서는 늘어나 주고 뒤에서는 수축하여야 합니다. 그러면 본 운동에 앞서 앞쪽 가슴근육을 풀어주면 뒤에서는 더욱 강한 수축 운동을 할 수 있어요.' 하면서 손으로 가슴근육을 풀어주는 방법을 알려주었다.

이외에도 팔을 들어 올릴 때 어깨가 충돌하는 경우 사용할 수 있는 핸즈온(회원의 보디에 손을 대고 올바른 자세와 움직임이 나오도록 하는 수업 기술)을 여러 가지 배웠다.

"

자세가 안 좋은 사람들이 몸이 아프니까
마사지를 받으러 많이 옵니다.
손으로 풀어놓으면 그때는 자세가 좋아지고
통증도 가라앉아요.
그런데 일주일 뒤에 오면
다시 예전으로 돌아가 있어요.
마사지로 풀어주고,
그 상태를 고정해 줄 운동을 해야
자세가 좋아지겠더라고요.

"

몸이 하는 말들

3부 내가 만난 몸들
몸이 우리에게 하는 이야기들

1. [호흡] 호흡만 잘해도 심신이 편합니다

　수간호사인 P는 주말부부다. 평일에는 혼자서 회사일, 두 아들 육아, 집안일을 도맡아서 한다. 어깨가 아파서 병원에서 MRI도 찍고 할 수 있는 검사는 다 했는데 원인을 알 수 없단다.

　언제부터인지 기억도 나지 않게 점점 아파지던 것이 이제는 잠도 잘 못 잘 정도이다. 뼈에는 이상이 없다고 하니 운동이라도 해보자는 마음으로 센터를 찾았다. 간단한 인사와 운동에 바라는 점을 이야기하는데 숨이 찬 것처럼 어깨를 씩씩대는 것이 눈에 거슬린다.

　숨도 고를 겸 운동을 시작하기 전에 복식호흡, 흉식호흡, 복흉식호흡(흉복식호흡이나 저자는 배가 움직임을 먼저 시작한다는 의미를 둬서 복흉식이라고 부른다)을 차례차례 진행했다. 복식호흡은 배가 풍선처럼 나왔다 들어가기를 반복하는 움직임인데 배가 전혀 움직이지 않았다. 복식호흡이 안 되니 복흉식호흡 역시 되지 않았다. 그나마 갈비뼈가 움직이는 흉식호흡은 약간의 움직임이 있었으나, 호흡의 길이가 짧았다.

숨을 마시면서 어깨가 올라가는 것은 자연스러우나, P는 호흡근 혼자서는 숨을 못 마시고, 어깨가 위로 올라가야 숨을 들이마실 수 있었다. '이야기할 때 자꾸 어깨를 들썩거린 것이 바로 호흡의 문제였구나!' 사람이 하루 평균 2~3만 번 이상 호흡을 하는데, P의 어깨는 숨을 쉴 때마다 움직여야 하니 과긴장된 상태였다. P와는 동작이 바뀔 때마다 호흡을 연습하기로 했다.

손을 아랫배에 두고 호흡하겠습니다. 코가 막혔다면 입으로 숨 쉬고 괜찮다면 코로 호흡할게요. 자신의 호흡 소리 몸의 느낌에 집중합니다. 숨 쉬는 게 생각처럼 잘 안될 수 있어요. 숨 쉬는 것도 '호흡근'이라고 하는 근육의 사용입니다. 계속 연습하다 보면 점차 잘 되고, 호흡량도 늘어납니다. 급한 마음 없이 연습합니다.

먼저 복식 호흡이요. 양손을 아랫배에 얹습니다. 먼저 코로 숨을 내쉬며 준비하고 마시는 숨에 아랫배가 풍선처럼 커져요. 내쉬는 숨에 배가 홀쭉해집니다. (10번 진행)

흉식 호흡을 효과적으로 하기 위해 양 손바닥을 가슴 아래 갈비뼈에 다져다 대고, 배는 계속 홀쭉하게 있습니다. 배를 홀쭉하게 하고 있으면 흉식 호흡이 더욱 잘됩니다. 코로 숨을 마시자, 갈비뼈가 옆으로 벌어지고, 숨을 끝까지 내쉬면서 갈비뼈를 가운데로 모아줍니다. (10번 진행)

양손을 풀어 차렷 자세로 복흉식 호흡합니다. 마시고 내쉴 때 배가 먼저 움직인다는 것을 기억하세요. 숨을 마시면서 아랫배부터 나오고 가슴이 커지며 턱밑까지 숨이 가득 차오릅니다. 상체 전체가 풍선처럼 빵빵해졌습니다. 숨을 내쉬면서 배가 납작해지고 갈비뼈가 홀쭉해지며 괄약근도 조입니다. (10번 더 진행)

호흡하는 근육을 '이너코어'라고 부른다. 몸속 코어라는 뜻으로, 우리 몸을 단단하고 지지해주는 중요한 신체 부위이다. '이너코어'는 온전히 호흡을 통해서만 단련할 수 있다. 호흡을 조절할 수 있으면 똑같은 동작이라도 더욱 안전하고 효과적으로 할 수 있다.

P와는 일주일에 두 번씩 만나 6개월 동안 운동했다. 원래 어두컴컴한 피부라고 생각했는데 이제 보니 얼굴이 많이 환해졌다.

"아침부터 밤까지 아무 일이 없어도 혼자 종종 거리고 가슴이 답답했어요. 숨쉬기 연습하고 어깨도 한결 가볍고 마음이 많이 편안해졌네요. 근데 숨쉬기가 이렇게 어려운 운동이었나요!"

호흡을 통해 몸도 마음도 평화를 찾은 그녀를 보니 내 마음에도 미소가 그려졌다.

"

호흡하는 근육을 '이너코어'라고 부른다.
몸속 코어라는 뜻으로,
우리 몸을 단단하고 지지해 주는
중요한 신체 부위이다.
'이너코어'는 호흡을 통해서만
단련할 수 있다.
호흡을 조절할 수 있으면
똑같은 동작이라도 더욱 안전하고
효과적으로 할 수 있다.

"

2. [손목] 온종일 고생한 손목에게
잠깐의 쉼을!

여수에 해양경찰 교육원이 개원한 이래 지금까지 출강을 이어오고 있다. 이제 막 시험에 합격한 신입 교육부터 예비 퇴직자까지 다양한 과정으로 여러 사람을 만난다. 자기의 의지가 아닌 교육 프로그램으로 참여하게 된 사람들에게 어떤 '경험'을 제공할까 늘 고민한다.

어느 날 강의가 끝나고 K의 질문이 있었다.

"손목이 평상시에는 괜찮다가 손목을 뒤로 젖히면 아픕니다. 병원에서는 이상이 없다고 하는데 왜 그런 걸까요? 운동도 못하고 저는 아프고 불편해요"

"손목이 각목처럼 딱딱하게 굳은 상태예요. 갑자기 안 하던 뒤로 젖히는 동작을 하니까 아픈 거예요. 플랭크 같은 동작은 손바닥을 바닥에 짚지 말고 팔꿈치를 대고 운동하세요. 손목은 당분간 살살 스트레칭하면서 손목의 유연성을 회복하시면 됩니다."

이후 교육 대상과 주제가 달라도 사람들의 주의를 끌기 위해 가장 먼저 하는 동작이 생겼다. 오른손잡이가 많기 때문에 왼손을 먼저 진행하겠습니다. 왼손바닥을 활짝 펴서 새끼손가락 방향으로 180도 돌립니다. 손가락 끝이 자기 몸을 향하게 하고, 손바닥 전체가 바닥에 닿도록 손목을 천천히 내려줍니다. 할 수 있는 만큼만 내려주고 손바닥이 안닿으면 '안 닿는구나!' 하고 알아차리면 충분합니다. 그다음에 오른손바닥도 해볼게요.

"어? 왜 안 되지?"

양 손바닥이 닿는 사람도 있지만, 왼손은 닿는데 오른손바닥은 닿지 않는 사람, 양 손바닥을 바닥에 대지 못하는 사람들이 꽤 많다. 그들의 당황한 기색이 역력하다.

손목이 본래 이런 동작도 할 수 있었어요. 그런데 우리가 일상에서 스마트폰, 컴퓨터를 할 때 손목이 어떤 모양을 하고 있죠? 네, 손목이 앞으로 숙인 상태입니다. 앞으로 숙이기만 뒤로 젖히는 걸 하지 않으니, 손목이 뒤로 가는 움직임을 까먹어버렸어요. 오늘 제가 여러분의 손바닥을 바닥에 닿게 해드릴 수는 없습니다.

다만 '내가 이 정도로 뻣뻣하구나!' 하는 알아차림이 있다면 충분할 것 같습니다. 이걸 잘한다고 해서 어디 가서 뽐낼 일은 없어요. 하지만, 우리가 바닥에 넘어질 때 어디로 짚죠? 네 손목이요. 그런데 손목이 이런 움직임을 못 하면 골절의 위험이 있어요. 또 플랭크 운동 동작을 할 수도 없고요.

직장인의 경우 하루 8시간 남짓 컴퓨터 앞에 앉아 타자를 두드린다. 쉬는 시간과 이동시간 틈틈이 스마트폰을 들고 있다. 모두 합치면 우리가 하루 동안 손목을 구부리고 있는 시간은 10시간은 족히 넘을 것이다.

온종일 숙여있느라 고생한 손목에 잠깐씩 쉼을 주자.

'잊어버리지 마. 너 원래 이런 동작도 할 수 있어. 많이 힘들지? 토닥토닥' 하면서 손목을 뒤로 젖히는 것이다. 손바닥을 한 번에 뒤로 젖힐 수도 있지만, 손가락을 하나씩 잡아당기면 손목을 10번 스트레칭할 수 있으니 더욱 추천한다.

얼마 전 K를 교육원에서 다시 만났다. 승진하게 돼 교육받으러 왔다며 먼저 인사를 건네 왔다.

"예전에 강사님께 손목 물어봤던 사람입니다. 기억나세요? 그때는 분명히 나는 아픈데 병원에서는 이상이 없다고 하니까 그게 더 무섭더라고요. 알려 주신 대로 손바닥을 대지 않고 운동도 계속하고, 손목은 살살 풀어주고 있어요. 오늘은 기분 좋게 손바닥 전부를 바닥에 대는 것도 되더라고요. 앞으로 손바닥을 대고 플랭크 해도 될 것 같아요."

누군가에게 도움이 된다는 건 참 보람된 일이다. 그래서 나는 질의응답 시간이 가장 즐겁다.

"궁금한 게 있으시면 언제든 물어보세요."

"

손목이 뒤로 가는 움직임을 까먹어버렸어요.

"

3. [골반 정렬, 전방경사] 허리를 꼿꼿이 펴는 자세가 능사가 아니에요

T는 건강에 관심이 많다.

"저는 유기농이랑 친환경 제품을 좋아해요. 그래서 화장품도 유기농이라고 하면 일단 다 써봐요. 이번에 새로 나온 화장품이 유기농이라고 광고해서 써봤는데 직접 써보니까 얼굴이 다 뒤집혔지 뭐예요. 과대광고에 당했어요."

"이번에 냄비를 새로 샀어요. 우리가 그냥 냄비에 요리하면 물을 들이부으니까 양념도 그만큼 많이 넣게 되잖아요. 이 냄비는 저수분 요리라고 해서 식재료 본연의 맛을 내주는 거예요."

영양제, 화장품, 의료기기 등 건강에 관한 것은 직접 써보고 알려준다. '바른 자세'에도 흥미가 많은 그녀는 의자에 앉거나 서 있을 때도 허리를 꼿꼿하게 펴서 바른 자세를 유지하려는 노력이 눈에 띈다.

운동을 첫 시간에 있었던 일이다. 박스와 같은 기구에 앉은 다음, 꼬리뼈를 말아 뒤로 내려가는 동작을 하려는 순간 몸에서 '두둑' 하는 소리가 났다.

"제 몸이 원래 그래요. 괜찮아요."

별일 아니라는 듯이 말한다.

"이렇게 한 번 해보세요. 앉았을 때 다리를 모으지 말고 벌려 앉으세요. 그다음 엉덩이가 바닥에 도장을 찍듯이 누르고 앉아보세요."

시작 동작을 조금 바꿨을 뿐인데 '두둑' 거리던 소리가 나지 않았다. 깜짝 놀라 눈이 휘둥그레진 T가 나를 쳐다봤다.

"우리의 몸은 허벅지가 앞으로 올라오면 골반이 조금 뒤로 누워야 해요. 그게 자연스러워요. 하지만 T는 '항상 허리는 꼿꼿해야 한다.'고 생각이 강하죠. 그게 조금 과해서 골반이 앞쪽으로 엎어진 자세를 갖고 있어요. 허리가 과하게 꺾여 있는 건데요. 그러면서 동작할 때 소리가 나는 거예요.

많은 사람을 만나다 보니까 하이힐을 오래 신은 사람이나 바른 자세에 관심이 많은 사람이 대개

그러더라고요. 건강이나 자세에 대해 주의가 깊으니 금방 좋아질 겁니다. 이제까지 통증이 없어서 다행이고, 이제 알았으니, 저와 골반을 뒤로 눕히는 아랫배 운동을 집중적으로 해볼게요."

"그러면 선생님 골반이 좋은 자세는 어떤 거예요?"

스스로 확인하고 만드는 방법을 알려드릴게요.

발바닥을 골반 너비(앞쪽 골반을 바닥에 수직으로 내린 곳)로 벌리고 서세요. 양 손바닥을 아랫배에 가져다 대고 엄지와 검지로 ▽모양을 만들어 줍니다. 이때 손바닥 뒤꿈치를 앞쪽 골반에 붙입니다. 엄지와 엄지를 서로 맞붙입니다. 검지는 배꼽 아래를 꾹꾹 눌러 내려가다 보면 딱딱한 뼈(치골)에 대세요. 고개를 숙여 엄지와 검지 중에 어떤 것이 더 앞으로 튀어나와 있는지 확인합니다.

엄지가 검지보다 튀어나왔다면, 골반전방경사
검지가 엄지보다 튀어나왔다면, 골반후방경사
두 손가락의 위치가 바닥과 수직이다, 골반 중립(이상적인 자세)

우리의 몸은 골반과 허리가 서로 연결되어 있다. 골반의 기울어진 모양과 허리의 커브는 관계가 깊다. 척추전만증을 가진 사람은 골반전방경사의 자세다. 허리는 과하게 꺾여있으며 손으로 허리를 만졌을 때 홈이 깊이 파였다. 허리에 있는 디스크가 뒤로 밀려난 허리디스크나 일자허리는 골반후반경사다. 만져보면 커브가 거의 없거나 밋밋하다.

실제로 T는 엄지가 검지보다 튀어나온 '골반전방경사'를 가진 체형이다. 엉덩이를 뒤로 빼올리는 오리 엉덩이 모양을 만드는 것을 잘하고, 꼬리뼈를 마는 것은 엉거주춤 잘되지 않았다. T는 운동 동작이 바뀔 때마다 "이렇게 하는 거 맞아요?" 하면서 스스로 준비 자세를 취했다. 특히 아침저녁으로 침대에 누워서 꼬리뼈 마는 것(허리를 바닥에 대는 동작)을 100번씩 연습했다고 한다. "사실 척추전만증이 있는 건 알았는데 자세와 관련이 있다고는 생각을 못 했어요. 아프기 전에 알아서 얼마나 다행인지 몰라요. 움직일 때 두둑 소리 나는 게 좋은 건 아니잖아요. 확실히 운동하고 나서 허리 물리치료를 한동안 안 갔어

요." 나는 오늘도 T에게 관절에 좋은 운동을 안
내하고, T는 나에게 요리, 화장품, 비누 등 건강한
생활 아이템을 알려준다.

4. [허리디스크] 허리 아플 땐 가슴과 고관절 운동을

"제가 올해 40살이고 물리치료사예요. 환자들 치료만 할 줄 알았지 제가 이렇게 아플 거라고는 꿈에도 몰랐어요."

Y가 일하는 병원장은 '지금 허리디스크 수술을 해도 무방할 만큼 상태가 안 좋은 허리'라고 했단다. 수술하기엔 아직 이르다고 생각한 Y는 지푸라기라도 잡는 심정으로 센터를 찾았다.

운동으로 관찰한 Y의 몸은 전체적으로 '뻣뻣' 했다. 허벅지 뒤, 가슴부위(흉추), 고관절이 제 기능을 못 하고 있어 허리가 피해를 당하고 있었다.

Y가 앉아서 상체를 앞쪽으로 숙였을 때 손끝이 무릎에 닿기도 어려웠다. 동작하는데 허벅지 뒤 근육(햄스트링)이 늘어나지 못하고 자꾸 허리만 많이 굽었다. 그를 계속할 경우 허리디스크가 더 뒤로 밀리게 되어 허리디스크 질환을 앓고 있는 사람에게는 악영향이다.

우리의 몸은 사용하지 않고, 자극하지 않으면

뻣뻣해진다. Y의 허벅지 뒤 근육도 점점 더 짧아지고 굳으면서 골반을 뒤로 끌어내리게 된다. 골반이 뒤로 누우며 허리디스크는 더 뒤로 밀리게 되고 허리의 커브(만곡)가 없어지는 자세가 된다. 우리의 몸은 연결되어 있기 때문이다.

두 번째는 흉추와 고관절이 잘 안 움직였다. 어깨를 회전하는데 흉추가 돌아가지 않고 허리가 돌아가거나, 오른발을 바깥쪽으로 돌릴 때도(고관절 회전) 고관절은 가만히 있고 허리가 회전되는 것이었다. 요추(허리)는 원래 움직이기보다 안정성이라는 고유의 특징이 있는데 자꾸 움직이면서 몸에 탈이 난다.

요추, 팔꿈치, 무릎은 움직이는 것보다는 안정성을 선호하고, 손목, 흉추(가슴부위), 고관절, 발목은 본디 골고루 잘 움직이는 가동성 관절이다. 문제는 잘 움직여야 하는 관절들이 제 기능을 하지 않아 가만히 있기를 좋아하는 관절에서 탈이 나게 된다. Y에게 일렀다.

"허리가 아픈 사람은 이놈의 허리가 말썽이라

*며 허리를 미워하는데, 알고 보면 허리도 피해자
에요. 허리에 뭐라고 하지 마세요."*

Y와 운동은 허벅지 뒤 근육을 늘리고, 가동성의
특징을 가진 흉추와 고관절의 회복을 돕는 것을
우선으로 했다. 뻣뻣한 사람들은 허벅지 뒤 근육
을 늘릴 때 무릎 뒤의 자극만 느끼는데, 이곳은 근
육이 얇아서 다치기 쉽고 가장 뻣뻣한 허벅지 뒤
근육 중앙엔 자극이 약하다.

나는 무릎을 살짝 구부리게 하고 무릎을 편다는
생각보다는 엉덩이를 발에서 멀어지게 한다는 마
음을 갖게 했다. 그러자 아픈 자극이 아닌 허벅지
에서 가장 두터운 곳의 뒤가 늘어날 수 있었다. 더
불어 상체를 움직이며 몸에 반동을 주기보다, 자
극이 오는 그곳에서 늘어나는 허벅지 뒤 근육을
느끼며 속까지 자극되는 것을 느꼈다.

허리가 돌아가지 않도록 가슴과 고관절의 기능
회복을 도울 때는 이런 말을 자주했다.

"많이 안 가도 돼요. 원래 가슴만 돌리고, 고관

절만 회전하는 건 많이 못가요."

허리가 돌아가지 않도록 Y의 골반을 손으로 잡는다. 흉추만 회전하는데 복부가 힘이 들어가는 것을 느끼고, 고관절을 약간만 움직였는데 엉덩이에 힘이 들어가는 것이 느껴지자 Y가 말했다.

"무조건 많이 가는 게 좋다고 생각했는데 그럴 필요가 없네요."
"필라테스하고 나면 힘들다는 느낌보다 허리가 편안하다는 기분이 들어요. 신기해요."

처음엔 다리가 저려서 걷기도 힘들다고 했는데, 6개월이 지나자 '척주기립근이 있는 여자'라며 수영복을 입고 휴가를 갈 거라고 한다. Y의 '뒤태' 인증사진을 기대해 본다.

"

허리가 아픈 사람은
이놈의 허리가 말썽이라며
허리를 미워하는데,
알고 보면 허리도 피해자예요.

"

5. [라운드숄더] 어깨 펴고 드레스 예쁘게
입은 바이올린 꿈나무

큰딸을 데리러 학교에 갔다가 예전에 다녔던 회원을 만났다. 반가운 근황을 나눴다.

"선생님 우리 S가 바이올린을 하잖아요. 주말에 프로필사진을 찍었는데 어깨가 너무 굽은 거예요. 학생은 수업 안 하세요?"
"한 번 데리고 오세요."

며칠 뒤, 초등학생 S는 엄마와 센터를 찾았다. 말수도 적고 표정도 없었다.

"심해요?"

회원이 물었다.

정면을 바라보고 차렷하고 서볼게요. 거울을 봤을 때 손가락 몇 개가 보이나요? 좋은 자세를 가진 사람은 엄지와 검지가 보이고요, 어깨가 굽은 사람은 손등이 보이면서 손가락도 서너 개 보입니다.

S는 손등이 절반이나 보이며 중지도 보였다.

학업과 연주로 스케줄이 바쁜 S에게 스트레칭과 운동을 각각 하나씩 알려주었다. 스트레칭은 어깨가 굽어서 단축된 앞쪽 가슴 근육을 늘리는 동작이고, 늘어나 있는 뒤쪽 근육을 수축해 주는 운동이다.

이 외에도 집이나 학교에서 손쉽게 할 수 있는 동작을 소개했다.

언제 어디서나 어깨를 펴야겠다는 생각이 들 때 양 손바닥이 정면을 바라보게 뒤집어 보세요. 어때요? 이것만으로 어깨가 쫙 펼쳐진 것이 느껴지죠!

그 순간 S의 눈이 반짝이더니 혼자서 손바닥 뒤집기를 계속했다.

수개월이 지나 '알려주신 운동 S랑 열심히 했어요. 어깨가 펴지니까 드레스 입을 때나 연주할 때 자신감이 붙었다.'라며 연주회 사진을 보내왔다.

'선생님을 찾아갔을 때 사실 아이가 슬럼프가

왔었어요. 프로필 사진을 보고 충격을 받았다나 어쨌다나. 사진을 찍고 온 날부터 연습도 안 하고 방안에만 콕 처박혀 있어서 걱정이 많았어요. 근데 선생님 만나고 와서는 '다시 예쁜 드레스를 입을 수 있겠다.'하면서 알려주신 걸 열심히 하대요? 운동이 생각보다 쉽고, 손바닥 뒤집으면 어깨 퍼지는 걸 보니까 좋았대요. 그러더니 연습도 다시 시작했잖아요. 선생님 정말 감사합니다.'

우리는 자신감이 없을 때, 기분이 우울할 때 어깨가 굽는다. 반면 자신감이 있을 때는 자세가 꼿꼿해진다. 몸과 마음이 연결돼 있음을 알 수 있다. 지치고, 우울하고, 자신감이 없는 마음을 어떻게 다스려야 할지 모르겠다면 몸을 움직여 보자. 마음은 내 몸을 아무것도 하기 싫게 만들지만, 몸을 움직이면 마음의 희망이 일어난다.

S의 당당한 사진을 보며 나도 우리 아이와 함께 운동하기로 다짐을 세웠다. 바른 자세로 우리 아이 자신감을 키워줘야지.

6. [날개뼈] 날개뼈에도 운동할 기회를

"으악!"

그룹 래슨을 하는데 거울 앞에서 갑자기 소리가 들렸다. 어려운 동작을 한 게 아니었던 터라 다른 사람들도 자못 놀란 눈치다. 서서 두 팔을 만세 하듯이 위로 들어 올리는 동작이었다. 조심스레 회원에게 다가갔는데 정작 당사자는 덤덤했다.

"괜찮아요. 가끔 그래요."

수업이 끝나고 H에게 다가갔다.

"괜찮으세요?"
"선생님이랑 운동할 때는 괜찮은데 가끔 자동차 뒷좌석에 뭘 꺼려내고 팔을 돌릴 때나, 선반에서 무언가를 내리려고 할 때 어깨가 아파요. 병원에서 어깨 충돌증후군이라고 운동하라던데요?"

무덤덤하게 말을 하지만, 무방비 상태에서 갑자기 어깨가 부딪혔으니 엄청나게 놀랐을 것이다.

양손을 각각 어깨에 올려 팔꿈치를 앞으로 세

바퀴 뒤로 세 바퀴씩 회전합니다. 빨리 돌리는 것
보다 천천히 크게 원을 그리는 것에 집중합니다.
날개뼈가 서로 가까워졌다 멀어졌다 하는 느낌입
니다.

우리가 팔을 '만세' 할 때 팔만 움직이는 게
아니에요. 날개뼈가 3분의 1을 움직이고 나머지
3분의 2만 어깨에서 움직이는 거예요. 만일 날개
뼈가 굳어버리면 팔이 잘 안 움직이고, 어깨가 과
부하가 걸려 아플 수 있어요. 날개뼈가 움직이는
능력을 까먹지 않도록 크게 돌려줍니다.

H에게는 추가로 팔을 드는 동작을 할 때는 천천
히 움직일 것을 강권했다. 어깨가 충돌하는 것은
어깨뼈와 팔뼈가 부딪히는 것이다. 우리 몸의 관
절은 붙어 있지 않다. 뼈와 뼈가 일정한 간격을 유
지하며 움직임을 만든다.

이때 어깨와 팔이 만나는 곳에 어느 한쪽이 불
안정한 경우 빠르게 움직일 때 밸런스가 쉽게 깨
져 부딪힌다. 천천히 움직이면 관련 근육들이 서
서히 개입하며 뼈와 뼈 사이의 공간을 유지하게
돼 충돌하지 않는다.

"천천히 하면 운동 안 되는 거 아니에요?"

H가 물었다. 예전에, 헬스장에서 데드리프트와 윗몸일으키기를 매일 100개씩 한다는 회원의 말로 대신 답했다.

"헬스장에서 100개씩 해야 다음 날 근육통이 오는데, 선생님이랑은 10개만 해도 느껴지는 게 신기해요."

천천히 동작하는 것은 힘들다. 몸이 중력에 저항하며 자세를 계속 유지하고 있어야 하기 때문이다. 느리게 하는 운동은, 바른 자세로 하는 고강도 트레이닝이다.

H는 날개뼈를 움직인 동작을 하고 나면 전보다 어깨가 부드러워진 기분이 든다고 한다. 일상생활에서 어깨가 아팠던 경험을 피하고자 팔을 위도 그는 동작할 때는 천천히 들려고 노력한다고 하니 이제 소스라치게 아파서 놀랄 일이 없단다.

7. [목] 거북목이니까 목 스트레칭 하지 마세요

몇 해 전 '거북목 증상 완화를 위한 운동 보조 기구'를 개발한 적이 있다. 제품 제작과 상용화를 위해 컨설팅을 받았는데 코로나로 인해 온라인으로 컨설턴트를 만났다. 컴퓨터를 통해 논의하는데 컨설턴트가 중간중간 고개를 푹 숙이고 손으로 머리를 바닥 향해 누르는 것이 자꾸 눈에 거슬렸다.

"목이 안 좋으신가 봐요?"

"어떻게 아셨어요? 거북목이 심해서 컴퓨터를 조금만 해도 아프네요. 스트레칭하면 좋다길래 하고 있는데 효과를 잘 모르겠어요. 이번에 개발 잘 해주세요. 저한테 꼭 필요해요." "스트레칭하면 좋은 이유가 뭐예요?"

"스트레칭은 다 좋은 거 아니에요?"

컨설턴트의 말처럼 스트레칭은 좋은 것이고, 하고 나면 개운한 느낌이 있다. 네이버를 켜서 '스트레칭'을 사전적 의미를 검색했다.

'stretch(잡아당기거나 하여 길이 폭 등을) 늘이다, 늘어지다' 그렇다. 스트레칭은 늘리는 것이다.

거북목으로 인한 통증으로 센터를 찾는 사람들의 자세를 떠올려 본다. 바른 자세는 정수리가 천정을 향하며 목이 세워져 있어야 하는데, 거북목 자세는 목이 앞으로 기울여진 모습이다. 거북목 자세는 바른 자세일 때보다 목덜미의 아래쪽이 늘어졌다. 결국 늘어나서 아픈 것이다.

그런데 우리는 목이 아플 때 어떻게 하는가? 목덜미가 아프니까 목덜미를 스트레칭한다. 고개를 앞으로 숙여 손으로 머리를 누르는 것이다. 이게 과연 몸에 좋은 일일까 진지하게 생각해 봐야 한다.

노란 고무줄 하나를 양손이 끝에서 최대한 잡아당긴 모습을 떠올려 봅니다. 금방이라도 끊어질 듯 매우 팽팽한데, 이때 뾰족한 것을 고무줄에 살짝 갖다 대면 어떻게 될까요? 툭 끊어지죠. 지금 우리 목이 아픈 것이, 너무 많이 늘어나서 더 늘리면 끊어질 것 같다고, 더는 못 견디겠다고 아우성치는 것입니다. 그곳을 스트레칭하는 것이 목에 좋은 걸까요?

그럼 어떻게 하면 좋을까요. 늘어나서 아픈 거니까 늘리지 마세요. 오히려 조여 주는 것이 휴식이에요. 우리 머리가 앞으로 숙어서 뒤가 늘어난 것이니 머리를 세우면 됩니다. 혹은 뒤로 젖혀주세요. 꼭 스트레칭이 하고 싶다면 목의 뒤를 늘리지 말고 앞을 늘려야 합니다.

컨설턴트에게 컴퓨터의 위치를 높여서 고개가 앞으로 숙이는 것을 예방하도록 했다. 스트레칭은 머리를 뒤로 젖히는 것이 좋고, 스트레칭이 어려울 때는 고개를 살짝 들어 컴퓨터 너머를 바라보게 했다.

컨설턴트는 '그동안 내 목한테 너무 미안하다'며 앞으로 '바른' 스트레칭으로 목을 잘 보살펴야겠다고 다짐하며 회의창을 닫았다.

8. [척추측만] 굽은 마음까지 펴지다니

"엄마 이것도 점이야? 팔에 점이 왜 이렇게 많아?"

"이거 지난번에 엄마 병원에서 주사 맞는 거 봤지? 그거 자국이 남은 거야."

어렸을 때는 낮에 넘어지면 밤에 딱지가 앉고 다음 날이면 낫는가 싶더니, 요즘엔 벽에 쓸린 작은 상처도 오래간다. 지난봄 교통사고로 병원에 입원해 있는 동안 맞은 주사 자국이 여름이 된 지금까지 많이 남아있다.

나이가 들어 좋은 게 하나도 없다는 회원이 말이 떠올라 키득 했다.

나이가 드니 야식을 먹으면 다음 날 속이 불편하다. 똑같은 말을 계속 들어도 자꾸 까먹는다. 머리카락에 힘이 없어 운동을 오는 데 드라이를 하고, 나와야 한다. 흰머리가 빨리 자라서 3주에 한 번씩 미용실에 가야 한다. 가까이 있는 글씨가 잘 안 보인다. 나이가 드니까 몸이 하나씩 고장이 난단다.

여자 고등학생이 방학을 앞두고 엄마와 센터를 찾았다. 엄마와 딸이 척추측만이 심한데 같이 운동할 수 있냐고 물었다.

"방학 때만 할 건데 효과가 있을까요?"

"딸은 10번 정도 하면 확실히 맨눈으로 달라진 것을 느낄 거예요. 어머니는 좀 더 하셔야 변화가 눈에 보일 거예요. 어머니는 이 척추측만 자세가 된 지 오래됐으니까 좋아지는 것도 더 오래 걸려요. 딸은 3~4년 된 거라면 어머니는 한 20년 됐잖아요."

딸은 운동을 한 번 할 때마다 어깨의 높이가 비슷해지는 것이 눈에 보였다. 10회를 하고 난 뒤, 개학을 맞아 학교로 돌아갔다. 엄마는 "딸이 필라테스가 자기랑 맞는 것 같다며 부산에 가서도 등록했어요." 소식을 전해주고 운동을 계속 이어갔다.

엄마는 처음에 상담했을 때 "다리뼈 길이가 짝짝이에요. 왼쪽이 더 길어서 서 있으면 무릎이 살짝 접혀요. 왼쪽 측만이 심해서 왼쪽 어깨가 높아요.” 자기 몸을 잘 알고 있다고 자신했다.

나는 자세에 대한 평가와 움직임을 분석해 설명
했다. 왼쪽 다리가 길다고 느끼는 것은 골반이 오
른쪽으로 회전되면서 무릎이 접힌 것이었다. 서
있는 자세에서 골반을 바르게 정면으로 정렬하자
왼 무릎이 펴지는 것을 보고 회원은 깜짝 놀랐다.
척추측만 역시 골반이 회전되면서 높이 변화가 생
긴다는 것을 알렸다.

심한 척추측만으로 인해 왼쪽 가슴부위, 오른쪽
허리 부근은 호흡이 약했다.

*페트병을 쭈그러뜨린 것을 다시 펴려면 어떻게
해야 하죠? 잡아당긴다고 되나요? 아니죠. ‘후
~’하고 바람을 넣어줘야 쫙 펴지죠! 그 모습을
생각하며 숨을 마시세요!*

호흡을 통해 상체의 회복을 돕고, 골반의 회전
과 높이를 바르게 정렬하는 운동을 집중적으로 진
행했다.

　"선생님 내가 옷을 펑퍼짐한 것만 입어요. 내 몸을 보기가 싫어서. 근데 샘이랑 운동하고 나서는 자신감이 붙어서 요즘에 붙는 옷 사는 재미 들였잖아요. 너무 좋아요~"

　이야기한다. 그러고 보니 요즘엔 딱 붙은 탱크탑 운동복을 입고 운동하는 회원의 얼굴이 처음 만났을 때보다 10년은 더 어려 보인다.

"

나이가 들어 좋은 게 하나도 없다.

"

9. [산후] 출산하면 아기 엄마는 언제
운동 하나요?

함께 운동했던 회원 S가 출산했다는 소식을 전해왔다.

"근데 몸무게가 딱 아기 몸무게만큼 빠졌는데 어떻게 빼야 해요?"

"살이 얼마나 쪘어요?"

"한 7~8킬로그램 쪘어요. 5킬로그램 빼야 해요."

"잠 못 자고 밤 수유 몇 번 하면 금방 빠질 것 같아요. 화이팅!"

"아 웃프다(웃기면서 슬프다). 운동은 언제부터 할 수 있어요?"

"밤에 아이가 통잠을 자고, 낮에 아이를 봐줄 사람이 있을 때부터요."

"맞네요. 애를 봐줄 사람이 없어요. 어린이집 보내고 다시 운동하러 갈게요!"

같이 운동하며 출산을 응원해 준 오전반 회원들에게 소식을 전하며 이야기꽃을 피웠다.

한 명씩 이야기를 들어보니 쉽게 아이 낳은 사람이 한 명도 없었다. 입덧, 소양증, 다리 저림, 임신성 당뇨, 오랜 진통과 제왕절개 등 모두 쉽지 않은 출산 여정을 지나온 '엄마들'.

그래서인지 위로와 격려 가득한 대화를 나누다 회원들의 대화는 '산후 다이어트' 이야기로 흘러갔다.

지금 돌이켜 보니 난 임신하면 살이 많이 붙는 체질이다.

첫째 임신했을 때 최고 24킬로그램이 쪄서 84킬로그램이었다. 40개월 터울로 둘째를 가질 때에도 마음을 단단히 먹고 관리했지만 23킬로그램이 쪄서 83.5킬로그램이었다.

두 아이를 낳고 힘든 육아를 어느 정도 마친 요즈음 내 무게는 63~65킬로그램 사이를 오간다. 운동 레깅스 사이즈는 날씬해 보이는 건 미듐보다 숨이 잘 쉬어지는 라지를 선호한다.

여러 차례 사고와 통증으로 병원에 다닌 뒤, 나는 다이어트 때문에 전전긍긍하는 마음을 내려놓았다. 나잇살과 두 번의 출산으로 아랫배가 쭈글쭈글하지만 그래도 레깅스 입으면 가려지니 이 정도면 만족한다.

산후 다이어트는 산전 다이어트와 완전히 성격을 달리한다. 체력도 전과 같지 않고 무엇보다 '아기를 돌보며' 진행되는 다이어트이므로 운동 이야기만 할 수 없다.

자연분만 후 6주 뒤부터는 가벼운 운동도 가능하다지만 아이의 밤 수유가 계속되는 이때 운동보다 수면이 엄마의 체력 회복에 더 도움이 된다.

아이가 크면 큰 대로 엄마의 다이어트는 더 도전적이고 힘들어진다. 다이어트에 대해 엄마의 마음이 조급하면 육아도, 다이어트도 어려워지는 것이다.

육아도, 다이어트도 가벼운 마음으로, 도전하기 쉬운 목표를 세우며 작은 성취감을 쌓아가는 게 엄마의 심신에 좋다.

 엄마들 모두, 좋은 것 적당히 먹고 수면의 질도
챙기고 내 몸이 이미 갖고 있는 것들을 최대한 잘
활용할 줄 아는 지혜를 갖자. 좋아질 것이다. 엄마
들의 몸을 응원한다.

"

여러 차례 사고와 통증으로
병원에 다닌 뒤,
나는 다이어트 때문에
전전긍긍하는 마음을 내려놓았다.

"

10. [다이어트] 몸의 핏fit을 만드는 게 진짜 다이어트

"어떤 목적으로 운동하는 거예요?"

상담하러 온 사람들에게 질문한다. 대부분 몸이 아픈 것에 관해 이야기를 시작한다.

"어깨가 아픈 데 운동할 수 있을까요? 척추측 만증이 심한 데 따라 할 수 있을까요? 거북목 교정하고 싶어요."

그런데 대화가 끝나고 집에 갈 때는 "근데 필라 테스하면 살 빠져요?" 묻는다. 겉으로 봤을 때는 더 뺄 것도 없을 것 같은 저체중인 회원도 '뱃살' 이 고민이라고 하니, 여자에게 다이어트는 숙명인 가보다.

필라테스 강사인 나도 다이어트에서 자유롭지 않다. 일단 살이 찌면 옷이 불편하고, 필라테스 동 작 시범을 보일 때 뱃살이 튀어나올까 봐 배에 힘 을 잔뜩 준다. 72킬로그램의 뚱뚱한 몸으로 지내 야 했던 청춘의 기억, 2년간 다이어트 한약을 못 끊고 힘들어했던 기억, 첫째를 낳고 모유 수유를 위한 좋은 한약을 먹다가 80킬로그램까지 올라간 기억들이 내 몸에 남아 있다.

밥을 우걱우걱 밀어 넣는 내 모습, 여자로 태어
나 출산과 육아를 거치며 이런 몸을 갖게 된 내 삶
이 경멸스러웠던 적도 있다. 살이 찐다는 것은 여
자에게 이토록 정신건강에 좋지 못하다.

나는 대학생 때 몸무게가 72킬로그램이나 나가
는 뚱뚱한 여자였다. 바지가 답답하고 사이즈 맞
는 게 없어서 치마를 자주 입었다. 가끔 바지를 사
려고 명동 밀리오레에 가면 남자매장에 가야 내
옷을 살 수 있었다.

뚱뚱한 내 모습을 보다 못한 큰엄마의 호출로
신촌에 갔다. 다이어트 전문 한의원에서 지은 약
을 3개월 정도 복용하게 되었고 살은 정확히 빠졌
다. 몇 년 만에 앞자리가 5가 되기도 하고, 주변에
서도 살이 빠졌다 칭찬해 줬고, 안 맞던 짧은 치마
도 들어갔지만, 출렁이는 뱃살과 허벅지살은 여전
했다.

약을 끊으면 한 달 만에 돌아오는 몸무게 탓에,

약을 타 먹고 끊기를 반복했다. 그러기를 2년. 술을 마셔도 안주는 못 먹었고, 친구들과 초콜릿 과자 몇 조각 먹고 이틀 동안 우울해했다. 괴로운 다이어트를 거듭하지만, 약에 내성이 생겨서인지 더는 살도 빠지지 않았다. 그제야 약도 병원도 끊을 수 있었다.

20대 때부터 나를 봐온 사람들은 요즘도 만나면 '옛날보다 더 날씬해졌다'고 말을 한다. 두 번의 출산을 경험하고 온몸이 통증투성인데도 처녀 때보다 더 날씬하다고 하는 것이다.

나는 이것을 필라테스의 효과라 말한다. 근력을 기르고 몸의 부피를 작게 만들어 주는 필라테스는 몸의 핏fit을 만들어 준다. 이제 우린 살을 빼야 하는 것이 아니라, 핏fit을 만들어야 한다.

11. [체력] 피로가 심하면 운동을 시작
하세요

월요일 저녁 6시가 넘어 회사원들이 퇴근할 즈음 M이 센터를 찾아왔다.

"저 운동 좀 시켜주세요."

표정 없는 얼굴, 한마디 말하기도 귀찮아 보이는 M에게 의자에 앉을 것을 권했다. M은 미혼의 직장여성이다. M은 아침 5시 20분에 일어나 사무실로 출근해서 7시부터 업무를 시작한다. 남이 시켜서 하는 게 아니라 미리 가서 준비해야 마음이 편한 본인의 성격 때문이란다. 퇴근은 18시인데, 일주일에 2~3일은 야근을 하고 9시가 다 되어 귀가한다. 입사하고 5년 동안 해오던 습관이다.

M은 최근 들어 업무가 바쁘거나 새로울 일이 없었는데도 '몸이 힘들다'는 느낌이 있었다.

"주말 동안 침대에서 못 일어나고 하루 종일 누워서 잠만 잤어요. 체력 하나는 자신 있었는데 충격받았어요. 퇴근하면 동기들과 술도 한잔하고 그랬는데 요즘엔 집으로 와서 잠만 자요. 집, 회사, 집, 회사만 다니니까 재미도 없고요. 그룹레슨을 못 따라갈 것 같으니까, 개인지도로 해주세요."

운동은 그다음 주부터 시작하기로 했다. 그날 M은 집으로 바로 돌아가면 시작을 못 할 것 같다고 퇴근하자마자 센터를 방문했다. 체력을 높이고 싶은 간절한 마음이 느껴져 수업을 열심히 준비했다.

체력을 높일 수 있는 필라테스 동작들로 구성했다. 무거운 중량이나 소도구를 사용하지 않았다. 중력에 저항하며 자기 몸을 지탱하는 동작으로 진행했는데 처음에는 이것도 힘들었다.

"오른발을 앞에 두고 왼발을 뒤에 두세요." 했는데 왼발이 앞에 있고 오른발이 뒤에 가 있는 게 다반사였다. 기구에서 스쿼트 동작을 하는데 4개를 겨우 하고 "못하겠어요." 하고 일어서 버렸다. 기구 위에서 한발로 균형을 잡을 때는 중심을 못 잡아 위태로워서 결국 땅에서 안전하게 진행했다.

"비가 많이 오는데 괜찮으세요? 다른 날로 변경하셔도 됩니다."

"쌤 지금 비 안 와요. 저 갈게요. 빨리 답해주세요!"

해서 빠지는 날이 없었다.

"내일 회식인데 다른 날로 변경할 수 있을까요?"

스케줄을 조정해 가며 주 2회씩 꼬박꼬박 운동하는 M의 성실함에 존경이 일었다.

다음 주가 되면 M이 운동을 시작한 지 9개월이다.

"선생님, 제가 필라테스를 하고 나서 후회하는 게 딱 한 가지가 있어요. 뭔지 아세요? '진즉에 할 걸….' 이에요. 5년만 일찍 시작했으면 더 잘했을 텐데, 그렇죠?"

이제는 한 동작을 8개로 늘려 진행한다. 특히 기구 위에서 한 발로 서서 버티는 진행하는 동작을 끝까지 해내고 나면 서로 손뼉을 부딪치며 축하한다.

M은 주말마다 놀러 다니느라 바쁘게 지내고 있다. 지난주에는 친구를 만나러 서울도 다녀오고, 다음 주에는 3박 4일로 제주도를 다녀올 계획이다. '예전 같았으면 꿈도 못 꿀 일'이라며 M이 말한다. 오늘도 문을 활짝 열고 웃으며 "선생님!" 하면서 들어오기를 기다린다.

"

중력에 저항하며
자기 몸을 지탱하는
동작으로 진행했는데
처음에는 이것도 힘들었다.

"

12. [평발] 교정 신발만으로 평발 통증 못 고칩니다

평소 친하게 지내던 언니가 카페를 열었다. 나는 개근상이라도 받으려는 듯 거의 매일 찾아갔다. 그곳에서 H를 만났다. 그녀는 자격증 공부를 위해 휴학을 하고 평일 오전에는 카페에서 아르바이트했다. 오가며 주문할 때만 인사말을 나눴는데, 얼마 후 H가 복학을 하면서 아르바이트를 그만둔다는 말에 아쉬운 인사가 나왔다.

H를 다시 만난 것은 센터였다. 자동문을 열고 들어오는데 "어머!" 동시에 서로를 알아봤다.

"평발이 심해 카페에서 일하는 동안 몸이 힘들었어요. 처음에는 다리가 묵직하고 피곤한 느낌이었는데 발목, 무릎이 점점 아파지더니 그만둘 때쯤에는 허리까지 아프더라고요. 그때 아르바이트해서 받은 돈으로 교정 신발을 사서 요즘도 신고 다녀요."

"교정 신발을 신어도 통증이 잡히지 않아요. 필라테스하면 좋아질까요?"

"우리 몸이 모양이 좀 안 예뻐도 안 아프면 돼요. 근데 아프니까 좋아지려고 하는 거죠. 발바닥 때문에 무릎, 허리까지 아파졌다고 생각하지만 반대로 다른 원인 때문에 왼쪽 발바닥의 평발이 생긴 건 아닌지 같이 생각해 보시게요."

H는 가만히 서 있는 자세에서는 불균형이 심하지 않았다. 그런데 스쿼트를 할 때 엉덩이가 아래로 내려가기도 전에 오른쪽으로 밀리는 것이었다. 스쿼트뿐 아니라 다른 동작을 할 때도 동일한 엉덩이의 밀림 현상이 나타났다.

움직임을 개선하기 위해 우리는 목표를 세웠다. 필라테스를 시작하기 전에 발바닥의 감각을 깨우기 위한 마사지 볼을 굴리며 풀어주기, 발바닥 안쪽으로 밴드를 당기기, 동작할 때 엉덩이가 오른쪽으로 밀려나지 않는 범주까지만 운동을 진행했다. 점차 엉덩이가 옆으로 밀려나지 않은 정도를 늘려가는 것을 목표로 했다.

H는 얼마 전 3개월간의 개인레슨을 마무리하고 그룹레슨으로 운동을 이어가기로 했다.

"처음엔 땀도 안 나고 힘들지도 않은 이 운동이 과연 도움이 될까? 선생님이 열정적으로 가르

쳐주셔서 3개월을 채우게 됐는데 신기하리만큼 몸이 좋아졌어요. 많이 걸어도, 오래 서 있어도 다리와 허리가 피로하지 않아요. 선생님과 운동이 좋았던 것은 저한테 필요한 것들로 하나의 프로그램을 만들어 주신 것이에요. 3개월 동안 함께 몸에 익힌 것을 이제 혼자서도 할 수 있게 됐어요. 그룹레슨으로 가도 자세 잘 잡아 주실 거죠?"

13. [키즈] 키즈 필라테스가 주는 행복

큰딸의 친구가 집으로 놀러 왔다. 주차장에서 아이들은 미술 놀이도 하고, 잡기 놀이도 하며 신나게 놀고, 부모들은 간이 테이블을 사이에 두고 수다를 떨었다. 땅에서 개미를 관찰하던 큰딸이 테이블로 오더니 의자에 앉으면서 하는 말이 지금도 선명하게 기억난다.

"허리가 아프니까 잠깐 쉬어야겠다."
"9살이 무슨 허리가 아파!" 대수롭지 않은 듯 대꾸했지만, 속으로는 '큰일 났다!'고 한숨이 났다.

큰 애는 지난해 초등학생이 되면서 학교에서 하는 방과후 활동으로 주 2회 음악줄넘기와 주 1회 수영했다. 올해 들어서는 학교에서 더 이상 음악줄넘기가 방과후 프로그램에서 제외가 되었고, 수영장은 차량 운행 문제로 그만두게 되었다. 체육활동은 없고, 하루 종일 의자에 앉아서 보내는 시간만 많아진 것이다.

어린이들에게 체육활동은 키 성장과 뇌에도 긍정적인 영향을 미치기 때문에 체육활동만큼은 지

지해 주고 싶은 마음이다. 큰딸이 체육활동 중에
서 유일하게 하고 싶어 하는 수영장을 다시 보내
고 싶지만, 학원 스케줄과 맞지 않아 고민이다. 상
황이 이러한데, 아이가 허리가 아프다니 큰일이다
싶었다.

  큰딸은 아침에 눈을 뜨자마자 책을 읽을 만큼
독서광인데, 책을 보는 굽은 자세 때문에 잔소리
를 많이 듣는다. 의자에 거의 눕다시피 한 자세로
책을 보거나, 바닥 앉아 책도 바닥에 놓고 고개를
푹 숙이고 보는 게 편하다고 한다.

  '저런 자세는 허리도 안 좋고 목에도 치명적인
데.. 명색이 엄마가 필라테스 강사인데 딸아이 자
세가 나빠지면 안 되지. 자세가 좋아야, 몸이 안
아파야, 나중에 뭐든지 자기가 하고 싶은 일에 몰
입할 수 있는데..' 혼자서 속을 끓이다가 아이들
과 함께 '키즈 필라테스'를 하기로 했다.

  첫날에는 운동 매트를 나란하게 깔았다. "엄
마를 따라 해 봐~" 하고 동작을 보였다. 제법 잘
따라 하는 듯하더니 잠시였다. 상체를 옆으로 기

울이라고 하면 나한테 몸을 기대며 나를 넘어뜨
렸다. 처음에는 "뭐야~" 웃었는데, 두 번째는
"스읍! 제대로 안 해!" 매서운 눈으로 쏘아보았
다. 장난이 세 번째였을 때는 "그만하자." 하고
매트를 접어버렸다. 한참 신이 나서 더 하고 싶어
하는 아이들을 시무룩해져서 내 눈치를 보는 게
느껴졌다.

그날 저녁밥을 준비하며 곰곰이 생각했다. '아
이들이 하고 싶어서 하는 게 아니고, 대회에 나갈
것도 아닌데, 왜 그렇게 무섭게 했을까. 결국 몸을
움직이는 게 목표이니, 모양이나 개수는 상관없지
않나. 앞으로는 아이들과 운동하면서 절대 화내지
말아야지!' 다짐하고 아이들에게 화냈던 행동을
사과했다.

아이들과 필라테스를 시작한 지 5개월이 지났
다. 고맙게도 아이들은 한 번도 싫다고 한 적이 없
다. "엄마는 운동해야지~" 말하면 큰딸과 작은
딸이 서로 먼저 자리를 맡겠다고 달려온다. 아직
숫자를 세지 못하는 둘째는 '하나, 둘, 다섯, 일
곱' 하며 제법 내 흉내를 낸다. 자기 동작을 따라

해 보라고하고, 어떤 날은 어려운 동작을 알려달
라고 적극적으로 요청하기도 한다. 동작을 하다가
한 명이 넘어지면 모두 배꼽을 잡고 한바탕 웃는
다.

처음에는 아이의 체육활동과 자세 때문에 시작
했는데, 지금은 아이들보다 나를 위한 시간이 되
었다. 언제까지 함께 할 수 있을까. 최대한 오래오
래 함께 움직이고 눈을 맞추며, 같이 웃는 시간을
오래도록 쌓아가고 싶다.

"

처음에는 아이의 체육활동과
자세 때문에 시작했는데,
지금은 아이들보다 나를 위한 시간이 되었다.

"

14. [운동선수] 골프 국가대표가
필라테스 센터를 찾은 이유

"왜 이렇게 피곤해 보이세요?"

"큰 애 중간고사 기간이라서 2시까지 같이 문제를 풀었어요."

"무슨 문제요?"

"애는 문제 풀고, 저는 옆에서 채점하고 문제 뽑아주고요. 샘 애들 한두 문제로 성적이 갈려요. 틀린 애들은 '겨우 한 문제'라고 하지만 맞히는 애들은 그 한 문제를 맞히기 위해서 얼마나 많은 문제를 풀어내는데요."

한 문제를 맞히기 위해서 부단히 노력하는 아이를 생각하자, 한 타를 줄이기 위해 매일 운동하는 국가대표 골프선수 T가 생각났다.

몇 해 전 코로나바이러스에 따른 해외 출입이 어려웠을 때 T를 만났다. 보통 운동선수들은 겨울에 따뜻한 외국에 나가 훈련을 받는데 코로나로 입출국이 어려워 따뜻한 여수로 전지훈련을 왔다. 아침부터 저녁까지 훈련 일정이 꽉 짜여있었다. 단체 일정이 없는 주말과 여가 시간에 필라테스를 하고자 센터를 찾았다.

옆에서 관찰한 T는 그야말로 괜히 국가대표가
아니었다. 근력도 좋고, 코어도 강하고, 유연성까
지 모두 좋았다. 우리는 한 달 남짓한 기간 동안
전신의 스트레칭과 회전 스트레스를 견디는 하지
근력 강화를 목표로 운동했다.

리포머(필라테스 기구 중 하나) 위에 올라가 왼
발은 캐리지에 있고, 오른발은 프레임에 까치발로
준비합니다. 양손은 차렷으로 준비하고 앞으로나
란히 하면서 왼무릎을 살짝 구부리며 캐리지를 미
세요. 중심을 유지하며 상체가 왼쪽으로 회전됩니
다. 캐리지가 움직이지 않도록 하세요.

T는 위의 동작을 이를 앙다물고 집중해 여덟 번
을 채웠다.

"와. 이거 보기에는 별거 아닌 것 같은데 엄청
힘드네요."

그렇다. 움직이는 기구 위에서 중심을 잡으며
동작하는 것은 상당한 집중력과 근력을 요구한다.
T와의 운동을 거듭할수록 필라테스에 대한 나의

자부심은 더욱 커졌다. 필라테스는 중력에 저항하며, 팔다리의 움직임으로 코어를 더욱 강화한다. 움직이는 기구에서 다양한 자극, 개개인의 컨디션에 알맞은 저항을 줄 수 있어 정말 매력적이다.

전지훈련이 끝나는 날 T는 집에 필라테스 기구를 들여야겠다며 말을 건네 왔다.

"스트레칭이랑 지난번에 했던 동작을 영상으로 받을 수 있을까요?"

그리하여 영상을 찍어 공유하고, 나는 사인을 받았다. 요즘도 가끔 스포츠 뉴스에서 T를 보면, 추운 겨울에 손등이 허옇게 부르트고, 손바닥에는 단단한 굳은살이 박혀있던 손이 떠오른다. 골프를 더 잘하기 위해서 하는 다른 운동도 진지하게, 호흡 하나까지 최선을 다하는 그의 눈빛은 골프를 향한 그의 열정을 기억한다. 그녀의 세계 골프 제패를 격하게 응원한다!

15. [시니어] 나이 들어 더 소중해지는 근육

몇 년 전에 퇴근길에 그룹 필라테스를 했던 G가 연락을 해왔다. 그때 개인 사정으로 잠깐 쉰다고 했었는데 벌써 몇 년이 지났다. G는 그사이 퇴직했고 검은 머리 반, 흰 머리 반이 되었다.

"어깨 수술한 지 1년이 됐어요. 서울에서 사는 딸들이 다시 필라테스하라고 난리예요. 저 같은 노인도 할 수 있을까요? 어깨 아픈 데 따라 할 수 있을까요?"

"할 수 있죠. 근데 남들이랑 똑같이 하려고 하면 안 돼요. '어깨는 아프지만 다른 데는 안 아파야겠다' 생각하고 운동 시작하세요. 어깨는 살살 움직여 주고, 허벅지, 엉덩이를 운동한다 생각하세요. 안 넘어지려면 균형 잡는 동작도 하고 그래야죠."

"맞아요. 내가 이 나이에 다이어트를 하겠어. 뭘 하겠어. 근육이나 좀 덜 빠지면 좋겠구먼. 나이가 드니까 근육이 빠지기만 하고 절대 안 차오르네요."

　내가 G에게 처음부터 '한두 달 하면 무조건 좋아집니다.'라고 했으면 어땠을까? 들을 땐 기대와 희망에 차지만 얼마 지나지 않아 마음에 조바심이 생긴다. 변화가 일어나고 있는데 알아차리지 못하고, 조급한 마음에 실망도 커서 결국 운동을 포기하게 된다. 나는 그것을 염려했다. 어르신의 운동은 꾸준하게 오랫동안 운동하는 습관이 가장 중요하다. G는 나의 말에 공감하고 운동을 시작했다.

　바닥에 배꼽을 대고 엎드려 양손을 깍지 끼고 팔꿈치를 바닥에 댑니다. 두 발을 까치발로 준비하고 골반을 바닥에서 살짝 들어 플랭크 동작을 합니다. 어깨가 안 좋은 분은 자리에서 일어나 스쿼트 운동으로 진행하세요.

　G가 어깨에 힘이 실리는 동작은 하지 않고, 대신 하체운동을 할 수 있도록 안내했다. 우리는 눈빛으로 '오케이' 사인을 나눈다. 그렇게 자신에게 독이 되는 운동을 피하고 꼭 필요한 운동을 했다.

1년 남짓 함께 운동하고 있는데 G는 못 오는 날은 있어도 지각하는 법이 없다.

"내가 교직에 있어서 지각은 절대 못 해요. 근데 운동 오는 날은 내가 엄청 바빠. 전날 현관에다가 양말, 장갑, 운동복 다 챙겨놓고 자요. 늙어서 머리카락에 힘도 없어 아침에 드라이해야 하지. 남편 밥 차려 주도 나와야 하지. 내가 바쁘네! 바빠. 내가 가끔 못 나와도 선생님이 이해 좀 해줘요잉."

얼마 전에 G가 바나나 우유를 한 봉지 사서 센터에 들어왔다.

"내가 골밀도 검사를 했는데 수치가 올랐어요. 병원에서 이런 사람을 못 봤는데 무슨 운동 하냐고 물어봐. 내가 필라테스한다고 했지. 그랬더니 좋은 운동이라고 계속하라고 하더라고. 내가 오늘 기분이 참 좋아!

같이 운동하는 회원들과 바나나 우유를 나눠 마시는데 여기저기서 "저도 어머니처럼 오래오래

운동하고 싶어요. 너무 멋지세요." 한다. G는 우
리 오전반의 워너비이다.

"

남들이랑 똑같이 하려고 하면 안 돼요.
'어깨는 아프지만 다른 데는 안 아파야겠다'
생각하고 운동 시작하세요.

"

나가며
처음인데 할 수 있을까요? 시작이 어려운
분들께

필라테스에는 초급, 중급, 상급반이 없다. '왜일까?' 생각해 본다. 누구는 유연한데 근력이 없을 수 있고, 누구는 뻣뻣한데 힘이 좋을 수 있고, 누구는 허리는 건강한데 어깨가 아파서 팔운동을 못 할 수 있고, 누구는 어깨는 건강한데 무릎이 아파서 특정 동작을 못 할 수 있다. 누구는 허리디스크라서 꼬리뼈를 말면 안 되고, 누구는 척추전만증이라서 꼬리뼈를 마는 것이 좋다. 그러고 보면 필라테스는 획일화된 기준 없이 '있는 그대로 사람의 몸을 인정'하고 컨디션에 맞게 하는 운동이라는 생각이 든다.

강사 초반부터 회원이 이야기하지 않아도, 염색이나 눈썹 문신을 하거나 살이 조금 빠진 것을 잘 알아채고 말을 건넸다. 감사하게도 그런 센스나 눈썰미를 가지고 태어난 것 같다. 그런 나의 모습을 본 지인이 'CS를 찾아보면 딱 너야. 사람상대하는 걸 참 잘해.' 칭찬했다. 필라테스 강사로 일한 지도 12년 차다. 햇수를 거듭할수록 나의 직업이 사람을 '상대'하는 것이 아니라, 사람을 '섬'기는 직업이라는 생각이 든다. 그 사람이 왜 그런 몸이 되었는지, 어떻게 지금의 자세를 가지게 되었는지 알아 가면 그 몸의 주인에게 애정과 존경의 마음이 든다.

오늘 아파서 빨리 건강해지면 좋겠다는 생각이 드는가? 그럴 땐 여수에서 서울까지 말을 타고 가야 하는 상황을 떠올리자. 일찍 도착하기 위해 말이 쉴 시간도 없이 계속 달려야 할까? 아니면 당근도 먹고, 해가 지면 쉬었다 가고 그럴까? 당신의 선택이 궁금하다.

아마 후자를 선택했을 것이다. 말이 쉬지 않고 달린다면 서울에 도착하기도 전에 지쳐 쓰러질 것이다. 조금 느린 것 같은 휴식이 결국 더 빠른 결과를 낳는다.

빨리 건강해지겠다는 생각에 아픈 몸을 이끌고 운동을 두세 시간씩 하거나, 몸에 무리가 되는 무거운 중량을 들어 올리는 것을 하지 않길 바란다. 말에게 쉴 시간을 주듯이 우리 몸에도 아프면 쉬고, 힘들기 전에 미리 쉬고, 컨디션이 괜찮으면 할 수 있는 만큼의 운동을 시작하자.

'운동을 안 해봤는데, 따라갈 수 있을까?' 처음이 두려운 사람에게 이렇게 제안한다. 처음 한 달은 '내가 얼마나 굳었는지 알아' 가야지 생각하세요. 출석을 목표로 운동하러 오면 됩니다. 두 번째 달은 '너(관절) 원래는 이런 움직임도 할 수 있는데 내가 그동안 방치했네. 오늘은 이렇게 움직여 볼까? 잘했어. 잘했어!' 자기 몸을 칭찬하고요. 세 번째 달은 '우리 앞으로 조금씩 더 강해지자!' 할 수 있는 만큼 운동하고, 오늘은 어제보다 하나 더 하면 최고예요. 그동안 막 썼던 내 몸을 이제부터 어르고 달래며 살살 3개월만 움직여보세요.

몸이 있어야 여행도 가고 친구도 만나고 맛있는 것도 먹으러 갈 수 있다. 기억하자. 몸은 움직이는 것을 좋아한다!

필라테스 수업 후기

제 몸은 마르긴 했지만 예쁘지 않았고 어깨는 옷걸이 어깨에 골반은 살짝 틀어져 있었고 아이를 낳은 배는 힘이 없었습니다. 그런데 윤진쌤과 필라테스를 꾸준히 계속해 오면서 어깨선이 예뻐지고 라운드었던 어깨는 조금씩 반듯해져 있습니다.

무엇보다 윤진쌤과 필라테스하고 난 후 운동의 즐거움과 운동할 때 집중도로 인해 스트레스 해소가 되며 운동가는 날이 즐거워졌습니다. 그리고 '할 수 있다!'라는 자신감과 나에 대한 자존감이 높아졌다는 점이 가장 괄목할 만한 점입니다.

저는 사람들에게 자신 있게 이야기합니다. 윤진쌤이 하는 필라테스는 진짜 꼭 해야 하는 좋은 운동이라고요~

– 8년 차 김○란 님

출산과 육아를 겪은 후, 내 망가진 몸을 교정할 수 있겠다 싶어 무작정 필라테스를 시작하였고 그때 처음 만난 선생님이 바로 윤진쌤이셨어요.

운동을 하면 할수록 내 몸이 건강해지는 느낌! 쭉쭉 늘리고 코어 운동을 하면서 '아, 내가 어디가 아팠었지?' 하고 잊어버리고 지낼 정도로 좋아짐을 느꼈어요.

제가 생각하는 윤진쌤의 가장 장점이자 감사한 점이기도 한 게, 아픈 곳을 상담하면 저에게 필요한 동작, 해서는 안 되는 동작, 집에서 하면 좋은 동작을 항상 공부해서 알려주시고 운동도 한 사람 한 사람에게 맞춰 필요한 동작들로 코치해 주셨어요.

지금까지도 운동할 때 저에게 맞지 않는 동작은 대체 동작으로 같은 효과를 낼 수 있는 동작을 알려주세요.

윤진쌤과의 운동은 제 몸을 건강하게 바꿔줄 뿐 아니라 쌤의 특유의 긍정적인 에너지도 함께 받아 생활의 활력이 됩니다.

항상 공부하고 스스로 발전해 가는 모습을 보며 항상 본받고 싶고 존경하는 저의 운동 멘토입니다. 오랫동안 같이 운동하고 싶어요!!!

-6년차 홍○정 님

　필라테스는 내 몸을 알아가는 운동이죠.. 급하지 않게 차근차근 그 길을 윤진쌤께서 잘 인도해 주셨답니다.

　처음 시작은 살을 빼기 위함이었지만 꾸준히 하다 보니 체중감량보다는 단단해지고 균형 잡혀가는 몸의 변화를 느낄 수 있었고, 호흡의 중요성도 알게 되었습니다.

　단체 수업이지만 우리 윤진쌤께서는 회원 한 분 한 분의 이름을 불러주시며 각자의 고충을 기억하시고 한 동작 한 동작 무리 되지 않게 조절해 주시고 코치해 주십니다.

　무엇보다도 항상 밝은 목소리와 미소로 긍정에너지를 전달해 주시는 것이 윤진쌤 수업의 가장 큰 매력일 것입니다. 속근육과 코어의 힘을 키워 올바르지 못한 자세와 평소의 습관들로 인한 통증을 주사나 약이 아닌 내 노력으로 치료할 수 있는 아주 좋은 운동입니다.

-5년 차 현○경 님

선생님의 첫 수업 시간은 아직도 기억에 많이 남아있어요. 귀에 쏙쏙 들어오는 설명과 밝은 목소리가 힘든 동작에서도 저에게 에너지를 뿜뿜 넣어주셨어요. 선생님과 함께 수업하면서 제가 필라테스라는 운동의 매력에 빠졌던 것 같습니다.

50분 동안 운동이 언제 끝나나 생각할 겨를 없이 '어! 언제 시간이 이렇게 다 지나갔지! 하면서 운동을 마무리했어요.

산 후 육아를 하며 점점 힘들어지는데 그래도 선생님과 함께하는 운동시간에서 그나마 지탱이 되어가요.

처음 감동은, 그룹 레슨이지만 개인레슨처럼 회원 하나하나 이름을 기억해 주신 점. 함께하는 시간에도 개인별 신체 특성을 고려해 동작을 알려주시는 점이 특히 좋습니다. 그리고 횟수를 지나며 근육과 체력이 쌓이는 걸 느끼며 꾸준한 운동 효과에 만족스럽고요. ^^

워킹맘으로써 두 아이의 육아 그리고 늘 회원들의 입장을 같이 해주시는 마음에 감사드립니다. 단순히 운동만 하고 왔다 갔다 할 수 있는 시간이지만 단 몇 분 짧은 시간에도 안부를 물어주시는 배려에 따뜻한 마음도 덤으로 가져가네요. 선생님의 긍정에너지를 저도 함께 받아 갈 수 있어 늘 고맙습니다.

– 5년 오○희 님

　운동하는 걸 그렇게 좋아하지도 않고 남들과 비교하면 먹어도 살이 안 찌는 체질이라 자신만만했었는데 점점 몸도 나태해지고 컨디션이나 체력이 안 좋아지다 보니 보니 마음도 약해지는 것 같고 거울을 보니 내 몸이 너무 예뻐 보이지 않았습니다.

　필라테스는 처음 하는 운동이다 보니 유연성도 떨어지고 너무 힘들었지만, 윤진 선생님이 항상 웃으면서 동작하나 하나 잘 설명해 주시고 다른 곳보다 더 꼼꼼히 알려주셔서 비틀었던 몸이 점점 반듯해지고 건강해지는 느낌이 들었어요.

운동을 하다 보니 컨디션이나 체력이 좋아지면서 기분도 나아지고 마음의 여유도 생겨서 좋아요. "윤○님"하고 부르면서 동작을 자세히 알려주시는 선생님 덕분에 건강하고 예쁜 몸을 유지하고 있는 것 같아 항상 감사합니다.

- 4년 차 김○주 님

처음엔 잘할 수 있을까 걱정을 안고 시작했는데 선생님의 맞춤식 설명과 편안한 분위기에서 생각보다 빨리 적응하게 되었습니다.

선생님께서 각자 컨디션에 맞춰 필요한 동작과 무리가 될 수 있는 동작을 구분하여 운동할 수 있게 도와주신 점도 감사드려요.

신체적 활동을 하기 위해 필라테스 수업에 오는 것이지만, 선생님과 소소한 일상의 나눔도 함께 할 수 있어서 마음의 위안도 얻고 가는 따뜻한 수업이에요

항상 감사합니다 *^^*

— 3년 차 오○이 님

　유방암으로 치료가 끝나고 병원에서는 운동하라고 권하는데 어떤 운동을 어떻게 해야 할지 막연했습니다 .

　치료 동안 약해져 버린 몸인지라 엄두가 나질 않았는데 기구필라테스를 통해 강약을 조절해 주고 구체적으로 몸을 쓰는 방법을 알아가니 재미가 있고 근육이 바로 잡히며 자세가 달라지는 내 모습에 수업시간이 설레어 아침이면 눈이 번쩍번쩍하기를 2년이 되어갑니다 .

　혼자라면 할 수 없었을 몸과 맘의 치유 과정들을 함께해 주시고 격려해 주시는 쌤이 있어 너무나 감사드립니다. 저는 또 필라테스 가는 내일을 기다리네요~~

　　　　　　　　　　　　-2년 차 이○화 님

산후 무너진 코어에 온갖 근육통을 못 이겨 시작한 필라테스. 선생을 잘 만나서 도수치료보다 더 시원하고 개운한 운동을 경험했습니다. 홈트 의지가 부족한 사람은 무조건 달려와야 합니다. 통증 잡는 윤진샘 필라테스의 세계로!

－3년 차 신○인 님

　운동하는 회원의 몸 상태나 개인적인 운동능력
과 체형에 따라서 난이도나 운동 동작을 세심하게
조절해 주고 교정해 줘서 다대일로 운동을 배우지
만 일대일로 하듯이 알려주신다는 느낌을 받았습
니다. 그리고 따라 하기 쉬우면서도 다양한 필라
테스 동작을 해서 질리지 않게 운동하는 즐거움을
느끼고 있습니다.

　　　　　　　　　　　　　- 8개월 차 최○진 님

몸이 하는 말들

지은이 윤진

발행일 2023년 10월 14일 1쇄
2023년 10월 24일 2쇄